D1592481

C'EST GRADIVA QUI VOUS APPELLE

DU MÊME AUTEUR

UN RÉGICIDE, *roman, 1949.*
LES GOMMES, *roman, 1953.*
LE VOYEUR, *roman, 1955.*
LA JALOUSIE, *roman, 1957.*
DANS LE LABYRINTHE, *roman, 1959.*
L'ANNÉE DERNIÈRE À MARIENBAD, *ciné-roman, 1961.*
INSTANTANÉS, *nouvelles, 1962.*
L'IMMORTELLE, *ciné-roman, 1963.*
POUR UN NOUVEAU ROMAN, *essai, 1963.*
LA MAISON DE RENDEZ-VOUS, *roman, 1965.*
PROJET POUR UNE RÉVOLUTION À NEW YORK, *roman, 1970.*
GLISSEMENTS PROGRESSIFS DU PLAISIR, *ciné-roman, 1974.*
TOPOLOGIE D'UNE CITÉ FANTÔME, *roman, 1976.*
SOUVENIRS DU TRIANGLE D'OR, *roman, 1978.*
DJINN, *roman, 1981.*
LA REPRISE, *roman, 2001.*

Romanesques
I. LE MIROIR QUI REVIENT, *1985.*
II. ANGÉLIQUE, OU L'ENCHANTEMENT, *1988.*
III. LES DERNIERS JOURS DE CORINTHE, *1994.*

ALAIN ROBBE-GRILLET

C'EST GRADIVA QUI VOUS APPELLE

LES ÉDITIONS DE MINUIT

L'ÉDITION ORIGINALE DE CET OUVRAGE A ÉTÉ TIRÉE À SOIXANTE EXEMPLAIRES SUR VERGÉ DES PAPETERIES DE VIZILLE, NUMÉROTÉS DE 1 À 60 PLUS SEPT EXEMPLAIRES HORS COMMERCE NUMÉROTÉS DE H.-C. I À H.-C. VII

7, rue Bernard-Palissy, 75006 Paris

ISBN 2-7073-1793-4

A Marrakech, dans le dédale imprévisible des ruelles et impasses de l'ancienne médina, un orientaliste tombe amoureux fou du fantôme gracieux d'une jeune odalisque, assassinée jadis dans des conditions hallucinantes, selon la légende...

Le présent récit de cette aventure n'est pas un roman, et ne constitue pas encore une œuvre cinématographique. C'est un projet de film, rédigé hâtivement (selon mon habitude pour une « continuité dialoguée » à strict but descriptif) pendant l'interruption assez longue qui a marqué l'écriture de La Reprise. *La durée de ce film, qu'il est difficile d'abréger sans en détruire une structure narrative complexe mais précise, outrepasserait sans doute ce que tolèrent les salles pour le cinéma d'auteur. D'autre part, il coûterait certainement plus cher que la profession n'estime prudent de risquer dans ce genre de réalisation.*

Si je préfère néanmoins en publier sans attendre

le texte hypothétique, c'est que cela ne peut en rien nuire à l'accomplissement du projet, peut-être même au contraire. Et, de façon un peu paradoxale, son ouverture actuelle, les options qu'il laisse souvent libres entre plusieurs solutions possibles, les indications de mise en scène, de jeu d'acteur, de montage, de bande sonore, etc., qui rompent sans cesse le déroulement de l'intrigue et l'illusion réaliste recherchée dans les œuvres du commerce, ne constituent en rien selon mon point de vue une gêne pour la lecture, ni un empêchement d'entrer dans ce monde imaginaire. Je pourrais même prétendre que les hésitations et divergences concernant « ce qui se passe » sur l'écran ne font que donner un plus grand poids de réel à l'univers mental en train de prendre forme.

Si le film se tourne l'hiver prochain, mon jeune associé, Dimitri de Clercq, qui assurera la plus grande part de la réalisation, devra en revanche opérer certains choix tenant compte des contraintes financières, des décors naturels qu'il aura retenus et des multiples aléas climatiques ou humains.

A.R.-G., janvier 2002

Cellule génératrice : une grande pièce nue, presque sans meubles, dans une casbah des premiers contreforts de l'Atlas, à proximité de Marrakech. Des ouvertures de dimensions réduites donnent de différents côtés, fermées par des volets de bois, peut-être à l'Andalouse. Une des parois, dépourvue de la moindre fenêtre, est peinte en blanc cru et sert d'écran pour projeter des diapositives.

Un Européen d'une quarantaine d'années travaille sur une table basse de dimensions importantes où sont étalés des documents (reproductions de tableaux, livres, manuscrits divers). L'homme, appelons-le John, est assis sur un pouf de cuir. L'ensemble donne l'impression d'un confort très rudimentaire. Mais il y a l'électricité et l'appareil de projection est assez perfectionné, donnant une image brillante en dépit de la médiocrité de l'écran. Dehors, la nuit commence à tomber.

John est éclairé dans son travail par une forte lampe de bureau, très directionnelle, à bras articulé. Il compulse des papiers, puis se remet à écrire, à la main, avec un stylographe traditionnel, probablement défectueux, car il le trempe quelquefois dans un encrier. On entend, venant du dehors, des cris d'enfants qui jouent, mais pas très proches, puis un appel de muezzin pour la prière du soir, et d'autres sons constituant une sorte de rumeur arabe, paisible et quotidienne.

John s'interrompt dans son écriture pour réfléchir un moment. Il appuie sur le bouton d'un boîtier de commande qui en même temps éteint la lampe de travail et allume l'écran, où défilent, sur un rythme assez rapide, des images de cavaliers arabes, de chevaux, de paysages marocains, etc. Le tout est constitué de croquis et peintures du siècle dernier, où l'on reconnaît en particulier des Delacroix, plus ou moins célèbres. Certains semblent retenir davantage l'attention de John, qui, visiblement, a souvent regardé ce matériel, le sujet sans aucun doute du texte qu'il est en train de rédiger.

Arrive à ce moment de l'extérieur un bruit beaucoup plus net et proche que les autres : un trot de cheval sur les pavés de la ruelle, qui paraît s'arrêter au pied même de la maison de John. Celui-ci tend l'oreille et perçoit un bref dialogue entre deux voix de femmes, en arabe. Il éteint son projecteur et va jusqu'à la fenêtre d'où lui semblent venir ces sons qui l'intriguent. En se penchant, il aperçoit une cavalière aux cheveux blonds, dont il ne voit pas le visage, qui exécute une demi-volte pour redescendre la ruelle. Vêtue d'un costume de fantaisie, vaguement marocain, il s'agit visiblement d'une Européenne. Le spectateur pensera ensuite que cette jeune femme pouvait être Leïla, et plus tard la Gradiva.

John retourne à sa table et remet son projecteur en marche. Les nouvelles images sont la suite des précédentes, mais maintenant se mêlent aux chevaux et cavaliers de plus en plus fréquentes représentations féminines, comme si elles se trouvaient induites par l'apparition de Leïla sur sa monture dans la ruelle nocturne (sous l'éclairage incertain d'un lampadaire, municipal ou appartenant au portail de la bâtisse où habite John). Ces dessins et peintures prennent même un caractère progressivement érotique et, dans ce cas, le regard de John s'y attarde plus longuement. Cet effet culmine avec la reproduction, totale ou partielle, d'une « Mort de Sardanapale » par Delacroix.

Des coups peu discrets sont à ce moment frappés à la porte. John éteint précipitamment le projecteur, ce qui rallume sa lampe de bureau. Il dit « Entrez », faisant semblant d'être en train d'écrire. La porte s'ouvre et une jeune domestique marocaine demeure dans l'encadrement, tenant à la main un paquet de la même dimension que les boîtes servant à projeter les diapositives, qu'elle tend vers John sans rien dire. C'est une jolie fille avec de beaux yeux noirs, mais son visage fermé n'exprime rien, si ce n'est peut-être une certaine hostilité, ou rancune, en tout cas méfiance. John a la voix de quelqu'un que l'on dérange dans son travail :

« Que veux-tu ?

– Il y a un paquet pour vous, Monsieur.

– Qu'est-ce que c'est ?

– Je ne sais pas, Monsieur. »

Comme si elle n'avait pas le droit de franchir le seuil de la pièce, c'est John qui se lève pour prendre le paquet des mains de la servante. Appelons celle-ci Belkis. Elle s'en va aussitôt en refermant la porte.

John inspecte le paquet. Ce n'est visiblement pas une chose qu'il attendait. Il se décide à défaire l'emballage : il s'agit bel et bien d'une boîte de diapositives. John en regarde une au hasard, qu'il sort du classeur pour la présenter dans la lumière de la lampe. Il est visiblement intéressé et charge la boîte dans l'appareil.

Une troisième série d'images apparaît donc, de façon saccadée, plus nerveuse qu'auparavant, sur l'écran mural. Les premières sont des croquis de femmes, ressemblant assez aux précédentes, mais beaucoup plus déshabillées. Il y a des détails de jambes et de pieds qui se répètent. Peut-être faut-il (ou ne faut-il pas ?) faire figurer dans cette série un ou plusieurs gros plan de pied nu en marche (avec une jambe féminine voilée par quelque drapé) rappelant de façon précise la posture spécifique caractérisant le bas-relief romain connu sous le nom de « Gradiva ». Il y a aussi un visage mystérieux de jeune femme blonde. Mais voilà qu'ensuite ce sont bel et bien des photos de filles vivantes, souvent dans des poses de victimes. On pourrait même introduire une citation rapide de « Glissements progressifs du plaisir » : la jeune fille nue à genoux devant le billot où l'on va sans doute la décapiter. La dernière photo montre le visage de Leïla en gros plan, souriant d'un air à la fois complice et moqueur.

John se redresse, dans un état de trouble visible. Tout à coup, il porte la main à sa mâchoire comme quelqu'un qui ressent une violente douleur dentaire. Il va rouvrir la porte et appelle sa servante :

« Belkis ! »

Celle-ci apparaît aussitôt, comme si elle se tenait dans l'ombre à proximité immédiate (elle épierait son maître en cachette ?) :

« Oui, Monsieur ?

– Qui a apporté cette boîte ?

– Un cavalier, Monsieur.

– Quand ?

– Là, ce soir, à l'instant.

– Un cavalier, ou une cavalière ?

– Je ne sais pas, Monsieur. Il fait presque nuit. »

Belkis a marqué une nette hésitation avant de répondre. John a un haussement d'épaule un peu exaspéré. Il insiste :

« Ce personnage, de sexe inconnu, a dit quelque chose en te remettant le paquet ?

– Oui, Monsieur : que ça vous aiderait pour votre ouvrage.

– Le livre que j'écris sur Delacroix ?
– Probablement, Monsieur, je ne sais pas.
– Tu connais cette personne ? Tu l'as déjà vue ?
– Non, Monsieur.
– Mais, c'est quelqu'un qui me connaît, moi ?
– Je ne sais pas, Monsieur. »
Elle s'éloigne et il va refermer sa porte, quand il se ravise :
« Belkis ?
– Oui, Monsieur.
– Tu n'as pas une potion pour le mal de dent ?
– Il y a des dentistes, Monsieur, à Marrakech, jusque dans la médina, qui vous arrachent le mal avec des tenailles. »
Pour sa dernière réplique, la jeune fille n'est plus visible. Sa voix grave résonne dans la cage d'escalier, d'une façon bizarrement prophétique et menaçante.

Revenu vers sa table, John a une nouvelle douleur dans la mâchoire. Puis il remet la boîte mystérieuse au départ et déclenche la projection à nouveau. Mais ce sont, cette fois, les cartons du bref générique de début qui apparaissent sur le mur, occupant à présent tout l'écran. Peut-être les cartons comportent-ils aussi des croquis montrant des détails très fragmentaires de chevaux et de femmes.

Après le dernier carton, l'écran reste noir, puis s'éclaire par touches plus ou moins étendues, comme si des rayons de la pleine lune entraient, par une ouverture, dans une vaste chambre à coucher meublée uniquement, en dehors de tapis et de poufs, par un immense lit. On distingue à présent les deux amants qui y sont couchés parmi des draps défaits, des coussins et des étoffes somptueuses. On entend, comme venant d'un extérieur assez lointain, une voix de femme qui chante un air andalou ancien, aux accents à la fois nostalgiques et barbares. Un plan rapproché montre Belkis la servante (qui serait donc une sorte de bonne à « tout faire ») couchée sur le dos, nue et la poitrine en grande partie découverte. Le spectateur la reconnaît sans mal, grâce à un rayon de lune qui lui éclaire le visage progressivement. Comme gênée dans son sommeil par cette lumière intempestive, la fille se retourne brusquement et reste couchée sur le ventre, les bras remontés de part et d'autre de la tête qui se présente maintenant de profil. Son dos nu est découvert jusqu'à la naissance des fesses, sa posture reproduit le plus possible celle de la femme allongée sur le lit du Sultan, dans le Sardanapale de Delacroix.

Un contrechamp montre le ciel nocturne, pour expliquer les variations de lumière par les nuages qui passent, à intervalles irréguliers, devant une lune étincelante. Le chant andalou devient plus proche, sensuel et déchirant.

Puis on revient sur le lit pour voir à présent John (à peine aperçu auparavant) en plan rapproché, éclairé à son tour par la lune, mais de façon un peu plus diffuse. Il est à demi allongé, le buste soulevé par les coussins et la tête s'appuyant sur un coude, dans la pose exacte de Sardanapale lui-même. Il contemple d'un air songeur la servante endormie. La lune s'étant cachée de nouveau, l'écran redevient entièrement noir.

La séquence suivante illumine l'écran d'un seul coup sans fondu. On est à l'extérieur de la maison et il fait grand jour. Devant le portail ouvert, John se hisse sur son cheval. La servante, immobile et le visage fermé, le regarde, attendant ses ordres éventuels. La première phrase que prononce John est sans doute la suite d'un dialogue commencé à l'intérieur :

« Le paquet qu'on t'a remis hier soir contenait une boîte de diapositives.

– Oui, Monsieur.

– Tu le savais.

– Non, Monsieur.

– Elle était exactement du même modèle que celles que j'utilise sur mon appareil. Comment connaissait-on les caractéristiques de ce projecteur, qui n'est pas d'un usage courant ?

– Je ne sais pas, Monsieur.

– Il y a des gens qui entrent ici en mon absence ?

– Je ne sais pas, Monsieur. »

Un silence marqué a précédé la dernière réplique de Belkis. Un second, plus net encore la suit. John dévisage la servante d'un air dur jusqu'à ce qu'elle baisse les yeux. Puis il dit :

« On raconte qu'autrefois le pacha de Tazert, au matin, faisait empaler par leur nature féminine, sous ses yeux rêveurs, les petites concubines dont le service nocturne ne l'avait pas entièrement satisfait. »

L'image est sur Belkis (qui conserve les paupières baissées) jusqu'à « dont le service... ».

A la fin de sa phrase, John ressent une vive douleur dentaire, qui lui fait faire une grimace fugitive, tandis qu'il porte le bout des doigts vers sa mâchoire endolorie. L'image reste sur lui pour la phrase suivante :

« Il faut dire que, à l'époque, les jeunes filles étaient encore moins chères qu'aujourd'hui, sur le marché. »

Un nouvel élancement, à la fin de sa phrase, provoque un nouveau rictus.

L'image revient sur Belkis, qui a rouvert ses grands yeux noirs et dévisage son maître sans marquer la moindre émotion, ni non plus pendant la phrase *off* de celui-ci :

« On dirait que les maux dont je souffre te font plaisir... N'as-tu donc aucun cœur ?... Réponds !

– Je ne sais pas, Monsieur. »

Il y a, dans la fermeté du ton, une sorte de bravade. On entend alors le rire *off* de John qui se met en route. Belkis tourne lentement la tête vers le bas de la rue. Un contrechamp peut montrer le cavalier qui s'éloigne au petit trot. Belkis tourne la tête dans la direction opposée et se met, pour la première fois, à sourire, avec une satisfaction évidente.

La scène qu'elle aperçoit se déroule avec rapidité, à une certaine distance, mais vue ensuite de plus près. Une grosse automobile noire est arrêtée devant une paroi aveugle (on a entendu les bruits *off* de son arrivée). Deux cavaliers marocains entrent en scène, l'un dirige l'opération, l'autre retient dans ses bras une fille dont le corps est enveloppé d'un grand manteau arabe. Un occidental bien habillé (appelons-le Anatoli) sort de la grosse voiture, qu'il conduisait lui-même. Le cavalier a sauté à terre avec son précieux fardeau, qu'il déballe rapidement devant Anatoli. On voit alors que la prisonnière est jeune et jolie, qu'elle a les mains liées derrière le dos, ses chevilles étant en outre retenues l'une à l'autre par une chaînette lâche, qui l'empêcherait de courir si elle s'échappait. Anatoli lui relève le visage, d'un geste autoritaire, pour l'inspecter commodément. Un coup d'œil expert lui fait ensuite jauger les formes agréables du corps, bien apparentes sous un vêtement simple et déchiré (dans la lutte de sa capture ?). Il dit :

« C'est bien. On va l'examiner plus en détail au magasin. »

Il fait un signe et une voiture rouge vient se ranger à proximité immédiate. Deux hommes vêtus de costumes noirs classiques sortent en même temps des deux portes arrière. En un clin d'œil, ils s'y engouffrent à nouveau, traînant la jeune fille qui se débat inutilement. Les cavaliers s'éclipsent aussitôt et Anatoli rentre dans son auto et démarre, dans la direction que la voiture rouge vient de prendre, mais à beaucoup moins vive allure, avec même une lenteur majestueuse. Il serait évidemment souhaitable, comme d'ailleurs pour toutes les scènes du même genre qui suivront, que des croquis reproduisant des moments décisifs de l'enlèvement figurent parmi les images projetées sur le mur de la cellule génératrice, probablement dans la dernière série (la boîte de la cavalière).

Le dernier plan de la séquence montre Belkis qui rentre dans la maison de John, dont elle referme avec soin le lourd portail. Elle a retrouvé son expression impassible, indéchiffrable.

La séquence suivante s'ouvre, en plan rapproché, sur une scène dentaire de rue : un arracheur de dents approche d'effrayantes tenailles de la bouche ouverte d'une adolescente visiblement terrorisée. Deux hommes (un père ? un frère ?) tentent d'immobiliser la patiente et sans doute aussi de l'amener à se laisser faire, mais leurs paroles en arabe semblent assez confuses. Le contrechamp montre la foule des spectateurs, avec au premier plan John, tendu et comme fasciné. Un cri de douleur *off*, arraché à la jeune fille par l'opération, est suivi par une série de râles et de longs gémissements, qui se mêlent au murmure de la foule, tandis que John porte l'extrémité des trois doigts à sa propre mâchoire. L'épisode se termine par un gros plan du linge blanc taché de sang vermeil que le dentiste exhibe comme un trophée de défloration. Le murmure *off* des assistants est nettement approbateur.

La suite de cette séquence se déroule dans les rues et ruelles de la médina de Marrakech et devra être organisée en fonction des lieux choisis pour le tournage. On suit John, qui sans doute est à la recherche d'un praticien moins barbare, mais dont le projet se trouve contrarié par une apparition : la jeune femme blonde qui pourrait être la cavalière de la veille et que nous appelons Leïla, dont le visage et la démarche bien reconnaissable (celle de la Gradiva de Jensen) figuraient sur les croquis et photographies projetées dans la cellule génératrice. John essaie de la suivre et elle l'entraîne vers des chemins écartés, mais à chaque fois qu'il croit la rejoindre, elle disparaît brusquement, de façon peu compréhensible, comme si elle était entrée dans une muraille sans ouverture apparente.

En même temps, une autre série de plans se mêle à cette poursuite égarée de Leïla : la grosse voiture noire conduite avec lenteur par Anatoli dans les étroits passages de la médina. Parfois c'est John qui rencontre à l'improviste la voiture. Mais le plus souvent c'est lui qui est vu à travers le pare-brise, avec le conducteur en amorce. Le spectateur à l'impression que la voiture noire le traque, sans trop se cacher, peut-être même pour le dissuader de continuer sa recherche de la jeune femme blonde, ou bien au contraire pour, avec l'aide de celle-ci, l'amener vers quelque destination où l'on voudrait le conduire. Il arrive aussi que la voiture noire semble hésiter sur son chemin, à un carrefour où Anatoli a perdu John de vue ; mais il y a là justement un Arabe, bizarrement assis sur une chaise dans la ruelle, qui, sans qu'Anatoli ait besoin de lui demander sa route, indique au chauffeur (qui a baissé sa vitre ?) la bonne direction, où la voiture noire s'engage de confiance, en dépit du panneau de sens interdit. D'autres signes de piste du même genre pourront être imaginés en fonction des décors réels du tournage.

Sur une placette un peu en retrait de la circulation, John voit soudain sa Gradiva qui entre dans une boutique de souvenirs. Il hésite entre la poursuivre à l'intérieur ou attendre sa sortie. Un vieux mendiant est accroupi devant l'étalage extérieur ; il a des lunettes noires et une canne blanche d'aveugle ; il fait sonner des pièces de monnaie dans une sébile. John regarde un livre exposé bien en évidence, « Delacroix au Maroc », un ouvrage qu'il connaît déjà, évidemment. Comme Leïla ne ressort pas de la boutique, il se décide à y entrer. L'endroit est minuscule, encombré d'objets divers (relevant plus du magasin d'antiquités, ou de brocante, que de la bimbeloterie pour touristes). Il n'y a pas trace de la jeune femme blonde, seulement un commerçant qui adresse un sourire cauteleux au client occidental. Devant le silence embarrassé de celui-ci, le marchand (appelons-le Kaleb) s'informe avec sollicitude :

« Monsieur désire quelque chose de précis ?

– Oui... Non... C'est-à-dire...

– J'ai beaucoup de richesses, vous savez, dans mes réserves, si vous voyez ce que je veux dire.

– Oui... Oui... Écoutez, pour être franc, j'avais rendez-vous ici, à cette heure-ci, avec une jeune femme blonde. Je suis étonné qu'elle ne soit pas là... »

Silence, sans doute un peu narquois, du marchand. John reprend :

« Je suis peut-être légèrement en retard... A moins que je ne fasse erreur sur les lieux qu'elle m'a décrits...

– Si une jeune femme blonde était entrée ici, vous comprenez bien, cher Monsieur, que je l'aurais remarquée ! (Kaleb désigne, avec un sourire, l'exiguïté du local.) Vous devez en effet vous tromper d'endroit. Comment s'appelle cette personne, si ce n'est pas indiscret ?

– A dire vrai, je ne sais pas au juste.

– Ah bien ! Je vois ! Mais j'ai aussi des cadeaux pour les jeunes dames : des colliers berbères en argent, des bracelets d'esclaves, des bijoux indiscrets...

– Pour l'instant, je cherche une dame, pas des cadeaux.

– Là aussi, je puis vous être utile : j'ai d'excellentes adresses, pour le plaisir. (Ces trois mots dits à voix très basse.)

– Non, non ! J'ai rendez-vous avec une personne précise.

– Précise et anonyme... Écoutez, en attendant, je peux vous faire voir d'authentiques objets de harem, des plus doux jusqu'aux plus cruels, des haches de bourreau datant du siècle dernier... et aussi des instruments de supplice plus intimes, si vous voyez ce que je veux dire. »

Pour cacher sa gêne, John répond d'un air détaché :

« Le siècle dernier, ce n'est pas très ancien.

– Bien sûr, mais c'est d'autant plus intéressant. Le fait que cela soit si proche de nous... rend les choses plus émouvantes... Je peux aussi vous introduire dans des spectacles privés, de ce genre un peu spécial... »

L'homme a franchement l'air d'un entremetteur. Il manipule, tout en parlant d'une voix mielleuse pleine de sous-entendus, une cravache de cavalier en cuir tressé. John commence à s'énerver :

« Non, je suis déjà en retard. Il faut que je retrouve au plus vite le lieu exact du rendez-vous. Je vous remercie.

– A bientôt, Monsieur ! »

Kaleb esquisse une grimace hilare et ne s'extrait même pas de derrière son comptoir pour accompagner le client. Celui-ci, sorti en coup de vent, revient presque aussitôt vers le livre sur Delacroix, qu'il feuillette pour se donner une contenance. Puis il se décide à s'adresser au mendiant :

« Tenez, mon ami, voilà quelques pièces, pour la grâce de Dieu. (L'argent déposé sonne dans la sébile.) Dites-moi, quelqu'un est entré dans cette boutique, juste avant-moi...

– Non, Monsieur, personne n'est entré depuis une bonne demi-heure, à part vous.

– Vous n'avez pas vu une jeune femme blonde, quelques instants avant mon arrivée ?

– Hélas, Monsieur, mes yeux sont morts depuis des siècles. Mais homme ou femme, blonde ou brune, je l'aurais entendue. Personne n'est entré, vous pouvez me faire confiance.

– Bien, bien... Je me suis donc trompé. »

John a dit cela d'un air insouciant. Il regarde quelques reproductions d'œuvres orientalistes. « La favorite déchue » de Fernand Cormon, retient son attention, à cause de la hache du bourreau. Puis, il revient aux estampes censées être de Delacroix au Maroc, en particulier une esquisse où l'on reconnaît le visage de Leïla et un gros plan de son pied soulevé, image qui faisait partie des diapositives laissées hier soir par la cavalière. La voix *off* de l'aveugle dit :

« Naturellement, ce sont des faux !

– Vous êtes expert ?

– Un peu... un peu... Et je connais un antiquaire qui peut vous céder à bon prix d'authentiques dessins de Delacroix, puisque vous êtes intéressé.

– Comment savez-vous ce qui m'intéresse ?

– Les aveugles ont des dons de seconde vue. Venez avec moi. Vous pouvez me faire confiance. Je ne saurais dire l'adresse exacte, mais je vais retrouver la maison. »

Le (faux ?) vieillard se redresse avec une aisance surprenante. John, après un instant d'hésitation, lui emboîte le pas, malgré l'absurdité de la situation : se faire conduire par un aveugle, qui lui indique le chemin avec sa canne blanche. Kaleb, apparu sur le seuil de sa boutique, les regarde s'éloigner avec un sourire ironique... Ils ne marchent d'ailleurs pas longtemps.

« Nous allons prendre un taxi », dit le guide aux yeux absents derrière ses lunettes noires, en s'arrêtant devant une voiture rouge garée à proximité, où le spectateur reconnaît aussitôt celle qui, ce matin, participait à l'enlèvement auquel John lui-même n'a pas assisté. Un peu méfiant, cependant, il dit :

« Ce n'est pas un taxi.

– C'est un taxi, vous pouvez me faire confiance. Son signal réglementaire est en réparation chez l'électricien. Je l'ai identifié sans hésitation au bruit du moteur.

– Son moteur est arrêté.

– Maintenant. Mais je l'ai entendu qui arrivait et s'arrêtait là, il y a quelques minutes. »

John, appâté par les Delacroix promis, peut-être imaginaires, décide de tenter le coup et monte dans le taxi rouge, qui n'a pas non plus de compteur sur le tableau de bord, suivi par l'aveugle qui lui a tenu la porte. La voiture démarre aussitôt, après un bref échange en arabe, beaucoup trop court pour contenir une explication sur la route à suivre. Et, sans attendre, l'aveugle dit à John d'un ton sans réplique :

« Mettez mes lunettes noires. L'antiquaire est un homme important et très secret, qui n'aime pas que l'on sache avec précision où se cachent ses trésors. »

Il tend au passager ses grosses lunettes, très foncées, qui comportent même des protections latérales coupant la vue sur les côtés.

John les met en place sur son visage et remarque :

« Mais elles sont complètement opaques, vos lunettes !

– Je ne sais pas. Je suis tout à fait aveugle, vous savez. (Ce n'est pas évident pour le spectateur, maintenant qu'il peut voir les yeux du bonhomme, et sa façon de tourner la tête vers la portière vitrée.) De toute façon, c'est ça qu'il faut puisque c'est pour vous empêcher de repérer la route... Mais j'y pense : il y aurait une explication au sujet de cette femme blonde que vous auriez vue entrer dans la boutique et que, moi, je n'ai pas entendue. On raconte que la médina abrite le fantôme d'une jolie personne aux cheveux d'or, décapitée au début du siècle dernier pour la punir d'avoir été séduite par un Français de passage. Il semble bien que la fille ait existé vraiment... Quant à cette histoire de revenante... Auriez-vous remarqué que sa démarche gracieuse ne fait aucun bruit sur le sol ?

– C'est fort possible, en effet... (Les pas de Leïla ne seront d'ailleurs pas bruités dans le film.)

– Alors, c'est peut-être elle que vous venez d'apercevoir. En tout cas, vous trouverez sans mal chez tous les marchands de souvenirs la hache utilisée par le bourreau pour son supplice. Il en existe de nombreux exemplaires, avec des formes diverses pour satisfaire les goûts de tous les amateurs. D'aucuns assurent que ce n'est pas sous le fer d'une hache que cette charmante tête aux yeux pâles a roulé, mais sous la lame d'un sabre ottoman, qui est disponible également dans le commerce avec certificat d'origine et emploi historique garanti. Certains vendeurs zélés ajoutent même toutes sortes de détails scabreux, concernant les préliminaires de l'exécution. »

Ces discours sont vus en partie sur l'aveugle parlant, ou sur John lui prêtant une attention perceptible malgré les lunettes noires, mais en plus grande partie sur des images illustrant le propos, qui seraient par exemple des représentations mentales de John, appartenant ou non aux projections de la cellule génératrice. On pourrait voir en particulier le plan de « Glissements progressifs du plaisir » où Marianne Eggerickx est agenouillée, toute nue, devant le billot où l'attend la hache du bourreau (s'agirait-il d'une photo fixe, ou franchement d'un extrait de film, avec le corps qui oscille légèrement ? On pourrait aussi imaginer un dessin, immédiatement suivi par la scène filmée), ainsi que le gros plan de décapitation au sabre de la servante, dans « L'Homme qui ment », l'esclave enchaînée de « Trans-Europ-Express » qui tourne lentement sur un plateau, l'adolescente crucifiée du « Jeu avec le feu », ou, encore dans « Glissements progressifs du plaisir », la fille exposée nue sur une roue de torture. A ces citations cinématographiques se mêleraient des croquis inspirés par la peinture orientaliste : une jolie fille nue à califourchon sur un chevalet coupant, dans la pénombre d'un cachot (cf. la lumière des « Chérifas » de Benjamin Constant) ou d'autres supplices à caractère nettement sexuel, comme une belle femme aux chairs resplendissantes écartelée par quatre cavaliers mamelouks dont les chevaux se cabrent (cf. « Les Massacres de Scio »), ou bien une jeune esclave expirant sur un pal, etc. Tout dépend de ce que le réalisateur veut montrer, ou seulement évoquer de façon plus hypocrite.

Après les dernières images mentales en question, on retrouve la voiture rouge arrêtée dans une sorte de cour assez vaste, sur laquelle donnent de nombreuses portes, entrées ouvertes, passages en arcades et issues diverses. Il est impossible d'en faire ici une description précise, puisqu'il faudra d'abord chercher le décor réel du tournage : un lieu étrange et compliqué, avec des possibilités multiples d'accès, rendant vraisemblable ce que l'on comprendra ensuite, c'est-à-dire que l'on accède par là à des locaux en principe différents, la demeure de l'antiquaire, une maison de plaisirs clandestine, d'éventuels cachots pour captives récalcitrantes, un hôtel louche, des entrepôts remplis de marchandises ou d'accessoires pour la location. L'ensemble devrait être déroutant et labyrinthique. Sont visibles dans la cour elle-même : la grosse auto noire de l'antiquaire, des carrioles et arabas, un beau cheval de selle dont la bride est attachée à un anneau, deux Arabes allongés par terre qui font semblant de dormir, mais sans aucun doute surveillent les lieux.

A l'intérieur de la voiture rouge, l'aveugle dit : « Voilà, nous sommes arrivés. Rendez-moi mes lunettes. Descendez et entrez... (ici une description nette, en quelques mots, de l'accès que John doit emprunter et du parcours qui suivra, à écrire en fonction de la configuration effective). Je vous attends dans le taxi, dont vous aurez besoin pour le retour. Vous paierez plus tard. »

John s'exécute ; un peu ébloui par la lumière, il considère rapidement les alentours, reconnaît sans doute la voiture noire qu'il a remarquée ce matin dans les ruelles, et trouve sans mal la voie indiquée par son guide. Il suit un parcours intérieur assez compliqué, mais conforme aux descriptions de l'aveugle (ou prétendu tel). Il sonne enfin à une porte d'appartement, cossu à ce qu'il semble. Une jeune fille lui ouvre presque aussitôt, jolie et souriante, mais qui, d'après les signes qu'elle adresse au visiteur, de ses doigts agiles, doit être sourde-muette. Il interrompt donc la phrase ébauchée (« Est-ce que je pourrais... ») pour suivre en silence la servante, qui le prend familièrement par la main afin de le guider, le long de couloirs comportant des passages très sombres.

La jeune fille silencieuse lui ouvre la porte d'un vestibule où elle le fait entrer, en le poussant gentiment, demeurant elle-même à l'extérieur. Elle referme la porte sans attendre. John pénètre dans une grande pièce, qui est apparemment une salle à manger. Quatre personnes sont assises à une table, qui comporte des couverts pour d'autres convives, absents ou déjà partis, les quatre présents n'étant d'ailleurs pas l'un à côté de l'autre. Il y a là l'antiquaire lui-même, c'est-à-dire le chauffeur de la voiture noire, nommé Anatoli, une dame ayant atteint la cinquantaine, d'aspect digne et sévère, vêtue d'une stricte robe noire, une très jeune femme au charme sensuel fort apparent, se comportant de façon vive, enjouée, détendue, et enfin l'adolescente à l'enlèvement de qui le spectateur du film a pu assister (mais pas John) dans la casbah déserte ; celle-là montre au contraire un visage apeuré, anxieux même, et visiblement elle n'a pas touché à ce qui se trouve dans son assiette. Elle porte toujours la tenue rudimentaire et déchirée dans laquelle on l'a vue ce matin.

La jeune femme enjouée (appelons-la Claudine) dit en s'adressant à la nouvelle (qui se nomme Djamila) :

« Écoute, Djamila, tu es encore toute jeune, évidemment. Mais, enfin, il n'y a pas de quoi en faire un drame. Tu verras. Je te montrerai. C'est quelquefois même très... »

Claudine parle avec gentillesse, comme une grande sœur.

Mais la dame sévère (nommée Elvira) l'interrompt brutalement en frappant un coup sec sur la table avec le manche de son couteau, tenu par la lame. Et elle déclare d'un air menaçant :

« Ça suffit ! Elle obéira ! Nous avons payé le prix convenu. » Djamila éclate en sanglots et se cache le visage dans les mains. On voit alors qu'elle porte encore, restées fixées à son poignet gauche, les menottes qui lui enchaînaient les mains dans le dos, ce matin, dont on a seulement libéré le poignet droit, comme si c'était de façon provisoire, pour que la prisonnière puisse manger son repas si le cœur lui en dit.

Pendant ce temps, comme si de rien n'était, Anatoli s'est levé pour accueillir son visiteur, avec une affabilité appuyée. Il va à sa rencontre de l'autre côté de la vaste pièce, puis le ramène vers la table, disant :

« Je vous attendais. Oui... On m'avait prévenu... évidemment. Voulez-vous partager notre modeste repas, puisque vous n'avez pas encore déjeuné. Nous avons presque fini, mais... »

Gêné par cette faconde et n'ayant lui-même

encore rien dit, John porte instinctivement la main à sa mâchoire douloureuse. Anatoli enchaîne avec le plus grand naturel :

« Ah ! C'est vrai, j'oubliais : un petit problème dentaire. Nous allons regarder ça aussi. Je suis un peu chirurgien... à l'occasion. Il faut savoir tout faire dans ce métier ! »

Le bonhomme est franchement inquiétant, que ce soit dans son comportement vis-à-vis du drame « familial » à sa table, ou dans sa façon de parler : aimable, mais autoritaire, avec des éclats de rire subits et de brusques accès de violence, sans aucune justification étant donné le contenu des propos. Il se tourne vers Claudine :

« Claudine ! Viens ici ! »

La jeune femme se lève promptement, habituée à obéir et toujours souriante. Puis à John :

« Nous allons donc voir tout de suite ces dessins aquarellés qui vous intéressent. »

Et vers Claudine, qui s'est approchée et dont il caresse le cou dénudé d'une main :

« Tu vas présenter au Monsieur les joyaux de notre réserve secrète. Madame Elvira s'occupera de la petite... La persuasion est sa spécialité la moins contestable. (Éclat de rire.)

– Vous ne préférez pas la manière douce ? » murmure Claudine d'un air enjôleur en se prêtant aux caresses du patron, qui répond d'un ton plein de sous-entendus :

« Pour mon compte personnel, si, sans aucun doute ! (Éclat de rire.) Allez ! Montre le chemin et ne te mêle pas de ça. »

Ils sortent tous les trois, Claudine la première, suivie de John, puis d'Anatoli qui, avant de refermer la porte, adresse à Elvira restée à table un signe de tête significatif montrant son entier assentiment au sujet de la nouvelle recrue. Dès que Elvira est seule avec elle, elle s'exprime avec la dureté sans fard qui lui est naturelle :

« Tu es séduisante et bien faite, petite idiote, mais tu te trompes grandement si tu crois que tes charmes juvéniles te mettront à l'abri du sort commun. Le Docteur Anatoli est un sentimental, tu l'as deviné. C'est moi malheureusement qui dirige le pensionnat. Les jeux de la scène sont contraignants, quelquefois même assez cruels. Nos actrices s'y prêtent de bonne grâce. Mais, si tu préfères, nous avons aussi de délicieux cachots aménagés pour les gémissements, la révolte et les cris de douleur. Les amateurs ne manquent pas non plus pour ce genre de spectacle. Quant à ta précieuse virginité, n'aie pas d'inquiétude. Nous en prendrons soin aussi longtemps qu'il faudra. »

Sur ce long discours, on a vu successivement : le visage en pleurs de la fillette, Elvira donnant libre cours à sa méchanceté, la domestique sourde-muette qui dessert la table en souriant avec gaieté et insouciance, enfin deux hommes qui entrent silencieusement, habillés de costumes noirs (gilet, cravate, etc.) à l'occidentale, encadrent la jeune fille, la prennent chacun par un bras pour la remettre debout avec fermeté, lui ramènent les mains derrière le dos pour l'entraver à nouveau avec les menottes. Djamila se laisse faire sans rien dire ni se débattre, la bouche entrouverte et les yeux agrandis de terreur, ne protestant pas tandis que les gardes du corps achèvent de lui déchirer le corsage pour dénuder entièrement les épaules et les seins, petits et charmants bien entendu. C'est seulement sur les derniers mots d'Elvira que les deux hommes y portent la main et que l'adolescente, sortie brusquement de sa passivité, se met à hurler de toutes ses jeunes forces.

Son long hurlement, et les cris déchirants qui suivent, se retrouvent dans la séquence contiguë, un peu amortis par la distance. John, Anatoli et Claudine sont en train de regarder les prétendus dessins aquarellés de Delacroix ou autres. John dresse l'oreille, mais Anatoli et Claudine sourient comme s'il n'y avait rien là que de très normal. Anatoli explique :

« Nous avons ici, entre autres choses, une sorte d'école de danse, de comédie et de comportement pour des jeunes filles qui se destinent aux carrières du cinéma, de la mode, du commerce de luxe, de l'escorte, ou bien qui veulent poser pour des photographes et des peintres... Il y a des écoles pour tout, aujourd'hui. C'est Madame Elvira qui dirige cette institution, très prisée chez les jolies personnes de la bourgeoisie aisée, n'est-ce pas, Claudine ? (Clin d'œil de connivence de celle-ci.) Ces demoiselles doivent être au cours de simulation théâtrale. Apprendre à crier est, paraît-il, une des choses les plus difficiles. »

John se penche donc à nouveau sur les précieuses feuilles, que Claudine manipule avec la délicatesse et le respect qui conviennent, ce qui n'empêche pas la grâce de ses mouvements. Comme elle est nettement plus petite qu'Anatoli, celui-ci, placé juste derrière elle, lui a glissé une main par-dessus l'épaule nue, dans l'ouverture du corsage, et lui caresse avec application le petit bout d'un sein, visiblement libre de tout soutien-gorge. Le raccord image entre ce geste et la poitrine dénudée de Djamila, terminant la séquence qui précède, devrait se faire par l'intermédiaire d'une esquisse (de Delacroix) représentant les seins (ou un sein et une épaule) d'une très jeune femme, sa Gradiva évidemment. Les trois personnages présents, contemplant cette image dans la nouvelle séquence, sont vus ensuite en contre-plongée, jusqu'au ventre environ. John, situé le plus en avant, n'aperçoit pas la scène amoureuse entre les deux autres. Claudine, qui accepte avec un vif plaisir l'indiscret hommage dont l'honore son maître, en profite pour onduler légèrement de la taille et des hanches en se frottant les fesses contre le pantalon masculin, le sexe d'Anatoli par conséquent. Celui-ci, en réponse, manipule le téton avec plus de nervosité, moins de douceur. Claudine ouvre la bouche progressivement et laisse échapper un faible gémissement lascif, qui fait se retourner John vers elle. Sans rompre la posture intime, Anatoli remarque avec détachement :

« Tous ces dessins montrent à quel point Delacroix était lié sensuellement avec son modèle, qu'il consommait sans aucun doute entre les séances de pose. »

John reporte les yeux vers la table et dit :

« Une chose reste gênante, concernant leur authenticité : il n'existe aucun exemple de ce genre de détails érotiques dans les autres carnets de croquis du voyage au Maroc. »

On voit alors le dessin qui suit : une main caressant entre deux doigts effilés (féminins peut-être) le téton érigé du même sein. D'autres évocations encore plus précises se succèdent sur l'écran, détail d'une bouche féminine entrouverte (celle de Leïla bien entendu) dont s'approche un massif pouce masculin d'aspect indubitablement métaphorique, etc. Il y a aussi des croquis répétés d'un pied nu de jeune femme dans la posture exacte de celui immortalisé par Jensen. Enfin, une esquisse de plus grandes dimensions pourrait montrer un occidental portant un collier de barbe (le jeune Delacroix ?), debout et de profil, soutenant du bras gauche une Gradiva à demi pâmée, vue de face dans une sorte de déshabillé vaporeux, dont il a remonté un pan de sa main droite pour caresser le haut des cuisses et le pubis. Ce dessin fait penser à une version libertine des illustrations gravées par Delacroix pour le Faust de Goethe.

La voix *off* d'Anatoli répond à l'objection de John :

« C'est justement ce qui est passionnant : les carnets que nous venons de retrouver n'étaient pas perdus pour tout le monde. Leur caractère presque scandaleux, pour l'époque, les avait fait mettre à l'abri des regards indiscrets. Soit par le peintre lui-même, soit par ce pacha qui convoitait la belle, pensait avoir des droits sur elle et ne supportait pas de la voir entre les mains d'un autre, français par surcroît.

– Personne n'a jamais parlé de cette liaison marocaine qu'aurait eue Eugène Delacroix.

– Eh bien ! Vous serez le premier à en parler, mon cher John. La réapparition des deux carnets manquants va faire du bruit dans le monde des arts !

– Comment savez-vous mon nom ?

– Votre nom et vos ouvrages sont connus de tous les amateurs, Monsieur Locke ! »

Cette fois, John laisse voir une réelle surprise :

« Mais je n'ai encore jamais publié ! »

Sans se démonter, Anatoli rattrape sa bévue :

« Vous attendiez cette occasion ! Car vous étiez déjà sur la piste : vous n'allez pas me dire que c'est par hasard que vous avez installé votre laboratoire d'étude à l'endroit précis où le drame final a eu lieu !

– Mais de quel endroit parlez-vous ?

– L'ancienne casbah de Tazert, à moitié en ruine aujourd'hui. Que peut-on aller faire là-haut, sinon des recherches sur la Gradiva de notre Eugène ?

– Ah, vous l'appelez Gradiva ?

– Elle se nommait Leïla, mais comment ne pas remarquer l'insistance mise par le peintre dans la représentation de ce pied à la démarche étrange, immortalisé au XXe siècle par Freud ? Le talon si relevé que la voûte plantaire devient presque perpendiculaire au sol... Le jeune Delacroix avait très bien pu voir le bas-relief prétendu pompéien au musée du Vatican, et faire lui-même le rapprochement avec le petit pied chéri de son gracieux modèle. La fétichisation du pied féminin n'a pas attendu Buñuel !

– Et qu'entendez-vous par “le drame final” ?

– Ne faites pas l'idiot, Monsieur John Locke. Vous en savez sûrement plus que nous tous sur cette troublante histoire. Il ne s'agit pas de l'éruption du Vésuve, évidemment, mais de l'exécution de la trop séduisante Leïla, punie de mort pour avoir aimé un roumi de passage. »

On voit toujours, pendant ce dialogue, les dessins aquarellés que Claudine continue à étaler sur la table l'un après l'autre. Ce sont pour la plupart des études sur Leïla, plus ou moins dévêtue ou drapée dans des voiles transparents. Il y a aussi son visage, figuré avec assez de précision pour qu'il n'y ait aucun doute dans l'esprit de John : c'est bien elle qu'il a rencontrée fugitivement, à plusieurs reprises, aujourd'hui. Sur la dernière phrase d'Anatoli, Claudine fait voir une grande esquisse qui comporte, à gauche, le bourreau noir à la hache (du tableau de Cormon intitulé « La favorite déchue »), et à droite la victime qui attend son exécution, nue, agenouillée devant le billot (en fait, Marianne Eggericks dans « Glissements progressifs du plaisir »).

« Ça, dit Anatoli, c'est autre chose : une des nombreuses études de Fernand Cormon pour sa « Favorite déchue ».

– Ah bien !, répond John non sans ironie. Je croyais que vous alliez me dire qu'il s'agissait d'une esquisse exécutée sur le vif par Delacroix pendant le supplice de sa maîtresse bien-aimée !

– Ne plaisantez pas, Monsieur, intervient Claudine d'un air pénétré, des choses aussi monstrueuses ont existé... et sans doute existent encore... »

John pris d'un accès de douleur aiguë dans sa dent malade, porte la main à sa mâchoire en murmurant « Oh ! là là ! » et, pris d'un léger vertige causé par la douleur, se dirige vers un fauteuil où il se laisse choir. On dirait que son mal dentaire se ravive chaque fois que reviennent certaines évocations. Les deux autres s'écartent à leur tour de la table et couvent des yeux le visiteur, Claudine avec compassion, Anatoli avec un intérêt plus énigmatique. Ce dernier s'assoit à son tour dans un fauteuil en face de John, ou mieux sur quelque divan ou canapé à deux ou trois places, et adresse un signe à Claudine, que la complice comprend tout de suite, car elle s'éloigne d'un pas souple et décidé pour aller chercher quelque chose dans une pièce voisine, hors champ en tout cas. Anatoli déclare à John, du ton assuré d'un médecin sage et compétent :

« Je vais vous donner un analgésique qui soulagera votre odontalgie de façon immédiate et prolongée. Vous le prendrez dans une boisson très sucrée, pour lutter contre vos vertiges d'hypoglycémie. N'oubliez pas que vous n'avez rien mangé depuis ce matin. Ensuite, vous irez vous reposer un peu dans un hôtel très discret qui fait partie de notre installation.

– Mais non, ce n'est pas la peine. Ça va passer... Vous supposez donc que notre Leïla-Gradiva a été décapitée d'un coup de hache... (Il porte de nouveau la main à son maxillaire, d'un geste rapide.)... par le bourreau du pacha.

– Je n'ai pas dit ça. C'est vrai que le pal et la décapitation demeuraient alors les deux supplices les plus couramment pratiqués. L'écartèlement, plus spectaculaire avec quatre beaux étalons nerveux, semble avoir été un peu plus rare dans cette région. En fait, d'après les récits les plus fiables, dans les chroniques et divers échanges épistolaires, la jeune femme qui posait pour Delacroix n'aurait pas reçu un châtiment public, contrairement à ce que prétend la légende, plus romantique aux yeux des touristes... Enfermée dans un des nombreux cachots que recèle encore aujourd'hui la citadelle de Tazert, Leïla a été retrouvée morte un matin, son beau corps laiteux transpercé à coups de poignard. »

Pendant ce temps, Claudine est revenue, portant sur un plateau un verre à pied en cristal contenant un liquide rouge vif. Elle s'agenouille gracieusement devant John pour le lui présenter. L'élancement douloureux qu'il ressent derechef (causé par la dernière phrase d'Anatoli ?), joint aux mines provocantes de cette jolie fille à genoux, persuade John d'avaler la potion sans discuter. Puis il se laisse retomber en arrière, contre le dossier du fauteuil, et reprend :

« Il ne devait pas y avoir beaucoup de jeunes femmes blondes dans ces contrées !

– Parmi les natives, non, et c'est ce qui en faisait le prix. On en vendait malgré tout fréquemment, très cher, sur les marchés aux esclaves. Vous connaissez la scène, qui figure dans de nombreux tableaux orientalistes ! Le goût pour la chair blanche était fort répandu et tous les riches harems comportaient quelques odalisques aux yeux pâles qui en étaient le fleuron. Les jolies rousses venaient de Circassie ou d'Irlande. Des pirates enlevaient des adolescentes blondes jusque sur les côtes de Norvège. »

John commence à ressentir l'effet du puissant antalgique. Il se détend dans son fauteuil et peut-être revoit dans sa tête les tableaux auxquels Anatoli fait allusion : les acheteurs en turban inspectant les captives nues, le « Bain turc » de Monsieur Ingres, etc. Anatoli surveille avec une attention aiguë l'effet de sa drogue sur l'hôte trop confiant. Constatant que celui-ci rêvasse, Claudine vient se coucher à demi contre son seigneur, dans une posture qui rappelle beaucoup celle de la nouvelle élue sur le tableau déjà cité de Cormon.

Anatoli la caresse distraitement d'une main, tandis que, mesurant la fatigue des défenses de John, il revient avec insistance sur le thème apparemment sensible du sado-érotisme, afin d'accroître et d'orienter les pouvoirs hallucinogènes de la drogue écarlate qu'il vient de lui faire boire :

« Les jeunes captives à la carnation blonde et rose, à la chevelure d'or, à la douce toison pubienne couleur de miel, restaient depuis toujours parmi les plus recherchées, comme ornement gracieux des palais de l'Atlas. Et puis, pour les punir de fautes supposées, dans le secret des alcôves-prisons, faire subir à ces jouets de rêve quelques sévices intimes, sexuels de préférence et de plus en plus cruels, devait trancher d'une manière ineffable sur la routine réglementée des amours liquoreuses du harem, où même les lanières du fouet ne sont bien souvent que des caresses à peine plus vives. »

Pendant ce texte, le plus souvent *off*, défilent sur l'écran les fantasmes induits dans l'esprit perméable du visiteur affaibli. Ce ne sont plus des esquisses ou peintures du siècle dernier, mais à présent des scènes filmées bien vivantes, nocturnes, dans une atmosphère volontiers sombre, oppressante, de palais mauresques, où des taches de lumière rousse mettent en évidence les détails intéressants : le visage en extase d'une odalisque, dont on ne sait pas trop si la pâmoison est causée par la souffrance ou par le plaisir, les gracieux corps dénudés exposés dans de lourdes chaînes contre des colonnes ou sur des croix, des filles à genoux, implorantes, prosternées, etc. On peut même apercevoir quelques instruments de torture, ou du moins pouvant servir à cet usage. La victime qui revient le plus souvent dans ces évocations doit être Leïla, mais pas forcément dans les postures les plus barbares. En revanche, des plans rapprochées de son visage bouleversé où à l'abandon, ainsi que de ses membres enchaînés, et spécialement les chevilles, apparaissent à de multiples reprises, dans différentes situations. La série se termine par un noir, un cri déchirant *off* et un poignard à la lame sanglante, pointée vers le bas, qui entre dans le champ par le bord inférieur de l'image. Si l'on veut préciser davantage l'horreur, ce plan sera précédé par un sein (toujours celui de Leïla) ou une aine, dont s'approche avec lenteur le poignard encore inutilisé, tenu par la même main d'homme.

Sur le long cri de mort apparaît la séquence suivante : nous sommes de nouveau dans la réserve aux peintures d'Anatoli, qui est toujours à demi allongé sur son divan. Mais John vient de se mettre debout, sans doute dans un brusque sursaut halluciné. Claudine, dont la poitrine est nue maintenant, pour quelque raison non précisée (Anatoli devait être en train de la caresser sur le divan, tout en parlant), s'est redressée elle aussi, pour tenter d'apaiser John et le soutenir dans sa crise. Anatoli dit avec un calme imperturbable :

« La gentille Claudine va vous conduire à cet hôtel un peu particulier, mais très confortable, que nous avons ici. Voici la clef de votre chambre. C'est le numéro 13. J'espère que vous n'êtes pas superstitieux. »

John s'approche et prend la clef sans prononcer une parole, un peu hébété. Il marche d'un air de somnambule et se laisse faire comme un enfant quand Claudine lui saisit le bras pour le guider. Anatoli ne se relève même pas pour les accompagner vers une petite porte dérobée. Il se contente de suivre des yeux son hôte, qu'il surveille d'un regard moins inquiet qu'inquiétant.

Pendant leur parcours, compliqué bien qu'assez bref dans des vestibules et couloirs plus ou moins obscurs, Claudine, qui, sous prétexte de lui apporter une aide dont il ne semble pas avoir un aussi grand besoin pour se tenir debout et avancer, se colle au corps de John de façon nettement impudique, lui murmure à l'oreille d'une voix pressante et rapide :

« Monsieur Locke, je vous en supplie, faites très attention. Le jeu que vous entreprenez ici est dangereux. Et mon maître, le Docteur Anatoli, est un joueur de classe A. »

Comme John s'est arrêté et tourné vers elle dans

une sorte d'étonnement un peu hagard, la jeune fille l'embrasse brusquement sur la bouche en se frottant contre lui avec une sensualité sans équivoque. Et, sitôt après cette étreinte imprévue qui laisse l'homme pantois, elle pousse avec fermeté son compagnon vers une issue toute proche, et ils débouchent sur une cour intérieure où deux hommes en noir montent la garde.

John, à demi réveillé de sa torpeur et retrouvant la méfiance qui s'impose, avait juste commencé une phrase :

« Je n'ai pas besoin de repos, je vais... » ; il se tait aussitôt, Claudine lui ayant fait signe de ne pas parler devant les deux gardiens, assez impressionnants d'ailleurs dans leur allure stéréotypée. Postés de part et d'autre d'une grande porte majestueuse, fermée, ces factionnaires sont identiques entre eux (comme des jumeaux) et aussi aux deux couples d'exécuteurs déjà vus dans le film (mais pas par John) en des occasions similaires : l'enlèvement de Djamila à Tazert et la brutale intervention pendant les menaces proférées par Elvira à son égard. Peut-être portent-ils, à chaque fois ou seulement ici, les classiques lunettes noires attribuées à leur fonction.

Sans laisser à John le temps de réfléchir, Claudine (qui ne va pas elle-même plus loin) lui donne une impulsion légère mais impérative dans leur direction, murmurant :

« Allez-y, John, ça vaudra mieux... Vous trouverez des fruits dans votre chambre. Fermez la porte à clef, mangez quelques dattes et dormez tranquille. »

John traverse donc la cour, le garde de droite s'avance vers lui et, sans dire un mot, tâte avec méthode le costume de John comme font les policiers à la recherche de quelque objet suspect. John se laisse faire avec docilité. Le garde fait signe à son collègue qu'il n'y a rien d'inquiétant. Le garde de gauche, resté en faction près de la porte, dit alors d'une voix neutre :

« Vous n'êtes pas armé ?

– Non, bien sûr !

– C'est donc la première fois que vous venez ici ?

– Oui, c'est la première fois, mais...

– Alors prenez ceci : un signe de reconnaissance, vous ne devez jamais vous en séparer. »

Et il tend l'objet, en lui montrant, comme si c'était une explication, la plaque apposée sur la porte où l'on peut lire « Club of Golden Triangle » et au-dessous « Members only ». John, qui trouve tout ça bizarre, se retourne vers Claudine, demeurée immobile à une vingtaine de pas. Elle lui adresse un sourire rassurant, accompagné d'un hochement de tête affirmatif. John prend donc le « signe » en question, un magnifique poignard marocain dans son étui de cuir. La lourde porte s'ouvre alors d'elle-même et John pénètre à l'intérieur du bâtiment.

Hall d'entrée à colonnade, escalier imposant, etc. Au détour d'un couloir, il croise un couple qui doit être également à la recherche d'une chambre qu'on vient de lui attribuer, car l'homme, assez âgé et habillé avec élégance, tient comme John une grosse clef à la main. Il s'agit de clefs traditionnelles, à l'ancienne, mais d'une taille anormalement imposante. La compagne du vieux Monsieur est une mignonne adolescente en mini-robe très sexy, qu'il tient par le cou d'une main nettement possessive. Elle a l'air vive et gaie, insouciante, avec de petits rires juvéniles quand l'homme se penche sur elle pour lui dire on ne sait quoi, à voix très basse. Ce club du Triangle d'Or serait-il une vulgaire, quoique de luxe, maison de rendez-vous ? John ne peut se retenir de tourner la tête pour les observer de dos, après les avoir dépassés. La jeune fille a les poignets liés ensemble derrière la taille.

Grâce aux numéros sur les portes qui se succèdent régulièrement, John trouve sans aucun mal la chambre 13. Il fait jouer sa clef dans la massive serrure archaïque, qui produit un fort bruit grinçant d'huisserie de prison, et accède à un vestibule meublé en ancien de bon goût, où les lampes sont déjà allumées. Il y a, bien en évidence sur une console surmontée d'un grand miroir, la somptueuse coupe de fruits annoncée. Sans avoir refermé la serrure, John pose la grosse clef sur le marbre, ainsi que le poignard, et lève les yeux vers le reflet de son visage dans la glace. Comme s'il hésitait à reconnaître ses propres traits, ou doutait de la réalité de son personnage, il passe le bout des doigts de sa main droite sur l'arête de son nez, ses lèvres, son menton. Puis il regarde de part et d'autre de la glace et constate qu'il y a une porte de chaque côté. Celle de droite est entrouverte et laisse filtrer une faible lumière. Il pousse le battant et voit un grand lit d'apparat recouvert de riches étoffes, sur lequel il s'effondre tout habillé. Sans doute sous l'effet de la drogue du Docteur Anatoli, il s'endort aussitôt.

La séquence suivante représente ses cauchemars. John revoit certaines scènes de la journée écoulée, mais où tout est devenu encore plus étrange et tout à fait irréaliste. Pendant le dialogue avec Kaleb, le marchand de souvenirs, Leïla, sortie des entassements qui occupent le fond de la boutique, passe entre eux de sa démarche aérienne et dansante, et adresse un sourire triste à John. Kaleb, lui, n'a pas l'air de remarquer cette présence pourtant fort évidente, vu l'exiguïté du local. Dans la séance d'examen des esquisses et dessins, chez l'antiquaire Anatoli, Claudine se trouve remplacée par Leïla, avec qui le maître se conduit d'une façon identique, sinon plus possessive encore. Devant la porte du Triangle d'Or, les deux gardes s'emparent de Claudine et l'emmènent de force. Dans les couloirs de l'hôtel, l'aveugle remplace John dans la rencontre du couple de clients ; après les avoir croisés, il se retourne et ôte ses lunettes noires pour regarder les mains entravées de l'adolescente, que le vieux Monsieur se met à maltraiter sans attendre d'être arrivé dans sa chambre.

Un cri de révolte de celle-ci, que nous appellerons Joujou (son prénom doit être Josette ou quelque chose de ce genre), réveille John sur son lit imposant de la chambre 13. Il se sent visiblement assez mal et voudrait boire un verre d'eau. Sur la table de nuit, il y a seulement un verre vide. Il prend celui-ci dans sa main gauche et se lève, le spectateur comprenant qu'il cherche la salle de bains pour le remplir. Ne trouvant pas d'autre issue, il revient dans le vestibule, toujours éclairé de la même façon. Le poignard n'est plus sur la console. John (l'a-t-il remarqué ?) se dirige vers la porte de gauche qui est maintenant entrebâillée. Au passage, il saisit de sa main droite une figue noire dans la corbeille de fruits. Puis il pousse la porte du pied. La pièce est exactement semblable à celle où il a dormi un moment (combien de temps ?) : même décor, même mobilier, etc. Elle est seulement plus éclairée, par des faisceaux d'une lumière rousse, très directionnelle, qui laisse dans la pénombre la plus grande partie du décor.

Ce que l'on voit surtout, c'est un grand lit d'apparat recouvert de riches étoffes, sur lequel gît le corps sans vie d'une jeune femme assassinée, Leïla sans aucun doute. Dans une posture de mol abandon, elle est à peine vêtue de voiles transparents qui laissent à nu la majeure partie du corps et des membres. Un bras est gracieusement levé, coude fléchi, la main enchaînée à une colonne du lit, les cuisses sont ouvertes, les pieds également retenus écartés par des chaînes, le buste est soulevé sur de moelleux coussins accumulés, la tête blonde renversée en arrière. La victime porte au moins deux blessures, probablement profondes, et très apparentes grâce aux larges taches vermeilles de sang frais qui brillent dans des zones de clarté vive. La plus étendue couvre le bas d'une aine et la face interne de la cuisse vers la pointe du pubis ; l'autre transperce le sein gauche, sans doute à l'emplacement du cœur. L'ensemble doit être splendide et sophistiqué comme une peinture d'académie. Le visage est spécialement évocateur avec ses yeux grands ouverts et ses belles lèvres disjointes dans un air d'extase sensuelle.

John demeure figé, de surprise et d'horreur, devant ce spectacle qui le fascine. Dans un geste très lent et rêveur, il mord longuement, sans y penser, la figue noire qu'il a toujours dans sa main droite, ne pouvant quitter des yeux la bouche écarlate de la voluptueuse morte... Mais tout à coup il reprend conscience et rejette le fruit mordu pour se passer la main sur le visage, que maculeront des traînées de jus sanguinolent. Il laisse tomber le verre, qui se brise sur le sol dallé de marbre, en nombreux éclats aigus et brillants. Au milieu de ces fragments épars, John aperçoit le poignard, toujours dans son étui. Il le ramasse et tire lentement (avec appréhension ?) la lame d'acier hors du fourreau : la pointe en est dégoulinante de sang... A cet instant, le flash d'un invisible appareil photographique illumine la pièce et les deux personnages : la victime et celui qui paraît être son meurtrier sadique. A intervalles réguliers se succèdent trois flashes successifs. Il faut que les surexpositions en éclairs de l'image puissent être interprétées comme étant des éblouissements psychotiques de John. Celui-ci, de plus en plus affolé, sort comme un dément de la chambre et débouche en trombe dans le couloir. Il se trouve alors nez à nez avec la jeune Joujou en pleurs, qui croit d'abord trouver près de lui un refuge. Elle a toujours les mains liées derrière le dos, sa petite robe est en lambeaux et son corps porte des marques de coups. Apercevant le poignard ensanglanté dans la main de John, elle pousse un cri, fait demi-tour et repart en courant dans l'autre direction. John, frappé lui-même de stupeur, considère un instant le poignard qu'il semblait brandir pour frapper. Il se passe de nouveau les mains sur le visage et se met lui-même à fuir à travers le labyrinthe des corridors, l'air égaré, pour trouver une sortie. Il n'a plus le poignard en main. Des messieurs bien habillés le regardent passer avec étonnement. Ils remarquent sans aucun doute les traces rouges, bien visibles, qui souillent sa figure et ses mains. Le montage qui suit est un montage plutôt chaotique, donnant un raccourci discontinu du retour de John jusqu'à son domicile. Il fait nuit noire. Les choses et les gens surgissent de l'ombre sous des effets d'éclairage peu réalistes.

John sort du bâtiment par une petite porte, rencontrée par hasard, très différente de celle par laquelle il était entré. Puis il court dans les ruelles du vieux Marrakech. Il retrouve son cheval, attaché à un anneau des remparts et il donne de l'argent à une espèce de chaouch issu soudain des ténèbres. La grosse voiture noire d'Anatoli est garée à proximité. Ensuite, elle le dépasse sur la route, où lui-même avance au pas, se laissant guider par le cheval. Parvenu enfin à sa maison (combien de temps plus tard ?), il voit que Belkis, la servante, l'attend devant la porte. Il saute de selle sans un mot et confie sa monture à la jeune fille. Aucun d'eux ne prononce une parole.

Monté aussitôt jusqu'à sa grande pièce de travail, la première chose qu'il aperçoit, posée bien en évidence sur sa table, est un cliché en couleurs montrant Leïla morte sous le regard de son assassin, sans doute un polaroïd de qualité médiocre où le visage de l'homme est peu identifiable ; le spectateur du film peut en tout cas y reconnaître la silhouette de John ainsi que le décor de la chambre 13, il pense donc que les éclairs lumineux dans la dernière scène au Triangle d'Or ne représentaient pas de simples éblouissements psychiques qui troublaient la vision du héros, mais devaient être les flashes d'un appareil photographique. John jette des regards inquiets autour de lui : le reste de la pièce lui paraît en ordre. Il se décide à demander des explications à la servante, retourne jusqu'à la porte, qu'il ouvre brutalement, et crie « Belkis ! » Mais la jeune fille est là, toute proche, dans l'ombre. Elle s'avance jusqu'au seuil, avec toujours son même empressement glacé, indifférent, où même hostile :

« Oui, Monsieur ?

– Qui a posé cette photo sur ma table ?

– Je ne sais pas, Monsieur.

– Quelqu'un est entré ici pendant que j'étais en ville ?

– Je ne sais pas, Monsieur... La maison est grande.

– D'autres que moi ont la clef ?

– Oui, Monsieur, évidemment : votre propriétaire !

– Tu le connais ?

– Non, Monsieur... Il habite ailleurs, loin d'ici.

– Où exactement ?
– Je ne sais pas, Monsieur. »

Pendant cet échange rapide, John s'énerve de plus en plus devant ces « Je ne sais pas, Monsieur » où viennent buter toute interrogation. Il fait un pas vers Belkis et lui saisit les poignets avec une espèce de rage froide. Il la tire vers lui brutalement et la pousse jusqu'à la lourde table de travail, sur laquelle il la couche à la renverse en proférant d'une voix sourde des paroles menaçantes :

« Je ne sais pas, Monsieur... Je ne sais pas, Monsieur... Mais qu'est-ce que tu sais, alors ? A quoi me sers-tu ? A quoi est-ce que tu es bonne ? Hein ? A quoi ?

– Je ne sais pas, Monsieur. »

Visiblement, elle le nargue. Pourtant, elle se laisse manipuler sans montrer de résistance, sinon passive. Ce dernier « je ne sais pas » met le comble à la fureur de John. A ce moment, il aperçoit sur la table, tout près de la figure rebelle de sa servante, le coupe-papier d'acier en forme de poignard, avec une lame aiguë et tranchante. L'homme rassemble alors les deux poignets de Belkis dans une seule de ses mains, la gauche, tandis que, de la droite, il saisit l'arme improvisée qu'il approche de la gorge de la jeune fille. Celle-ci continue de dévisager son maître sans ciller. Une moue de défi se dessine même sur ses lèvres pulpeuses, cependant qu'elle se frotte avec ostentation le bas-ventre contre le sexe de son irascible seigneur. Et c'est encore comme pour se moquer de lui.

Mais celui-ci reprend soudain ses esprits, regardant avec un effroi incrédule le coupe-papier brandi dans sa main, prêt à frapper, qui lui rappelle évidemment ses récentes et cauchemardesques aventures. Il lâche brusquement la jeune fille, qui demeure à demi allongée sur le dos au milieu des papiers épars, considérant l'homme d'un regard aigu, ironique, accusateur. John revoit, dans sa mémoire ravivée, la scène du Triangle d'Or qui figure sur la photo. Il se passe la main sur le visage pour chasser cette vision à la fascinante cruauté.

L'image revient en contrechamp sur Belkis, qui s'est (hors-champ) remise debout, affrontant son maître de plus en plus ouvertement et posant sur lui un tranquille sourire narquois. John murmure d'une voix douce, devenue maintenant inoffensive, presque suppliante :

« Laisse-moi seul, à présent, s'il te plaît.

– Oui, Monsieur. »

La jeune fille, elle aussi, a subitement changé

de ton et d'attitude. Contente sans doute d'avoir en un sens vaincu cet amant imposé, qu'elle pourrait aimer sans le dire, elle paraît tout à coup affectueuse, soumise, compatissante. Les sabots d'un cheval de selle résonnent sur les pavés, dans la ruelle nocturne. Belkis est en train de se retirer silencieusement, à reculons, avec une sorte d'inquiétude attentive dans ses grands yeux noirs. John a tendu l'oreille du côté de la fenêtre ouverte, vers laquelle il se dirige avec une sorte d'appréhension, puis se penche à l'extérieur. On entend le bruit très présent du cheval qui passe, monté par quelque cavalier. Mais, dehors, il n'y a rien : la ruelle est vide, à droite comme à gauche. John reste là, immobile, à écouter le cheval fantôme qui s'éloigne.

La séquence qui suit représente les visions fantasmatiques qui se forment dans l'esprit de John, à sa fenêtre, et c'est de nouveau la Leïla de son rêve solitaire dans la chambre 13, avant la découverte du cadavre. La jeune femme blonde est vêtue des mêmes voiles légers qui flottent dans la brise, sous une lumière irréelle. Elle tient cette fois une jument blanche par la bride, ils ont l'air l'un et l'autre de danser. Ensuite Leïla se tourne vers la caméra pour faire un signe de la main, un geste d'adieu, ému et triste. Enfin le cheval blanc, tout seul désormais, passe au grand trot dans les ruelles, se cabrant devant des obstacles imaginaires. Ses sabots ne font plus le moindre bruit en frappant le sol.

On retrouve John dans la chambre à coucher. Il est tout habillé, tandis que Belkis, vêtue seulement d'une ample chemise de nuit en voile blanc, légère et transparente mais sans fioritures, est allongée sur le grand lit dans une posture qui rappelle beaucoup celle de Leïla morte. Ses deux pieds écartés ont été attachés par de fines cordes, maintenant les jambes ouvertes. John est occupé à lui lier le poignet droit aux volutes de ferronnerie ou à une colonnette, à la tête du lit (un lit à forts barreaux de cuivre, par exemple, comme celui de « Trans-Europ-Express »). Sitôt la petite main solidement attachée, John commence, avec lenteur et hésitation méditative (cherche-t-il à retrouver les fentes entre les pans de tissu dans le costume de Leïla sur son lit de la dernière heure ?), à déchirer la chemise de nuit en se servant de grands ciseaux de couturière, pour laisser voir partiellement les seins nus, le haut d'une cuisse, etc. Belkis se laisse faire, mais à présent avec complaisance et gentillesse, comme s'il s'agissait d'un jeu d'enfants, ou d'amoureux. Jugeant son travail assez réussi, John embrasse sur la bouche sa prisonnière, qui lui rend tendrement ses baisers.

Alors s'élève dans le silence la mélodie andalouse déjà entendue lors de la première scène nocturne sur ce lit. Toujours avec les mêmes mouvements lents et rêveurs, John se redresse et s'approche de la fenêtre pour écouter. Belkis ne fait aucune tentative pour se dégager de ses liens (sa main gauche est restée libre). Elle a les yeux fermés, on dirait qu'elle dort. Le chant se fait plus présent. Dans un ralenti de somnambule, John quitte la chambre, sort de la maison, marche dans les ruelles désertes en essayant de se diriger vers ce qui lui semble être l'origine du chant. Il rencontre bientôt la jument blanche magnifique, imaginée peu de temps auparavant, mais beaucoup plus calme. Si les qualités d'acteur du cheval le permettent, cela pourrait même être lui qui conduirait notre héros, suivant quelques pas en arrière, à travers les ruines jusqu'à l'endroit où la voix féminine devient tout à fait présente et réelle.

John découvre Leïla, assise sur une espèce de socle en pierre, vêtue des mêmes voiles blancs que dans les rêves ou rêveries qui ont précédé. Il faut cependant que ces images-ci aient un degré de « réalité » nettement plus affirmé. La jeune femme, qui était en train de chanter pour elle-même la mélodie sauvage et désespérée, s'arrête à la fin d'une phrase en voyant arriver l'homme, qu'elle accueille par un sourire triste (le même que celui de l'imagination) comme si elle attendait sa venue, sans en espérer aucun réconfort à sa mélancolie. Ils auraient, dirait-on, rendez-vous là. Mais John, pour sa part, éprouve au contraire une vive stupeur, et même une sorte d'épouvante, en reconnaissant la beauté blonde aperçue fugitivement en ville et tout récemment assassinée, presque sous ses yeux. Fort décontenancé devant ce fantôme, dont il avait pourtant eu l'intuition, il dit seulement, d'une voix très basse comme s'il se parlait à lui-même :

« N'avez-vous pas froid, la nuit, dans une chemise aussi légère ?

– Il y longtemps hélas, que mon corps n'éprouve plus ni le chaud ni le froid. »

Elle parle d'une voix douce et sereine, lointaine dirait-on, avec toujours ce même sourire désolé qui semble vouloir excuser l'étrangeté de ses propos. Après un silence, elle reprend :

« Ce costume est désormais le mien pour l'éternité : il a été celui de mon dernier supplice.

– Les taches sanglantes ont pourtant disparu.

– Mon innocence a lavé le sang de mes blessures.

– Qui êtes-vous ?

– J'étais, pour mon malheur, une esclave blanche, venue d'Andalousie où j'ai passé mon enfance, et sans doute auparavant de plus loin encore...

– Pourquoi : « J'étais » ?

– Parce que je ne suis plus.

– Vous n'êtes plus esclave. On vous a donc libérée ?

– En un sens, oui, on m'a libérée, par le fer. Mais je suis encore esclave, et c'est de mon passé à présent.

– Que voulez-vous dire ?

– Que les spectres sont condamnés à reproduire sans cesse leur destin tragique, ne le saviez-vous pas, John Locke ?

– Vous connaissez mon nom ?

– Comme vous connaissez le mien !

– Vous seriez ainsi celle dont parle la légende, qui posait pour un peintre français, il y a plus d'un siècle ?

– Il y a un siècle, il y a deux siècles, ou dix

siècles et tous les siècles des siècles, puisque le temps a cessé de couler.

– Vous avez connu Eugène Delacroix !

– Pour mon malheur, oui, je l'ai connu.

– Quel est votre nom ?

– Lui m'appelait Gradiva, pour je ne sais quelle raison... Maintenant, je dois partir. (Elle se lève et fait un pas.)

– Reviendrez-vous chanter, dans ces ruines, la nuit prochaine ?

– Il n'y a pas de nuit prochaine. Toutes les nuits sont la même nuit, celle où le poignard transperce ma chair. Et vous ne devez pas me questionner davantage. Parler aux morts porte malheur, ne le saviez-vous pas, John Locke ? »

Un contrechamp sur John montre le visage de celui-ci envahi progressivement par un nuage d'effroi, tandis qu'un faible cri de Leïla se prolonge (*off*). Quand l'image revient sur la jeune femme, celle-ci s'est immobilisée, comme morte, bien que toujours debout. Une souffrance (ou une extase) reproduit sur ses traits l'expression qu'elle avait dans la chambre 13. Du sang frais coule de son aine gauche et de son sein. Une lueur surnaturelle illumine toute sa personne, le sang de ses blessures brille d'une façon fort improbable, tout à fait irréaliste. On entend au loin la sirène d'une voiture de police qui se rapproche à vive allure. John tourne la tête en arrière, vers la ruelle par où il est arrivé, comme s'il craignait l'irruption intempestive des policiers au milieu des ruines. En fait, ils semblent avoir pris une autre direction. Lorsque John se retourne vers Leïla, celle-ci a disparu. Et il cherche en vain sa trace entre les pans de murs écroulés. Il finit par s'asseoir sur le socle de pierre où il l'avait vue d'abord. A quelques pas de lui, reparue au contraire sans qu'on l'entende, la jument blanche le regarde (avec tristesse ?), éclairée elle aussi par un rayon de lune providentiel sur sa robe immaculée.

Au matin, John se réveille dans le grand lit. Belkis, qui a toujours sa main droite attachée à un fort barreau de cuivre, dort encore. Mais elle n'est plus dans la même position que celle où nous l'avions quittée, et ses pieds sont libres, conservant seulement les cordelettes enroulées et nouées autour de chacune des chevilles. Il fait grand jour. John se lève et va jusqu'à la fenêtre. Une voiture de police stationne juste en face de chez lui, et un policier, le commissaire Mahdi, se tient à côté, comme s'il surveillait l'entrée de la maison. Il amorce un mouvement de tête vers le haut, et John se retire vivement en arrière pour revenir à côté du lit. Avec une certaine précipitation, il défait les liens qui retenaient captif le poignet de la servante, et il dit à voix basse, mais impérative :

« Qu'est-ce que tu fais là, à dormir encore à pareille heure ? Lève-toi !

– Oui, Monsieur... Pardonnez-moi... J'ai fait un rêve horrible.

– Ne rêve pas trop, petite, c'est démodé !

– Oui, Monsieur. Je ne ferai plus. »

Elle a l'air toute douce et gentille, dans sa chemise de nuit en lambeaux. John marche nerveusement à travers la chambre, tandis que Belkis se sauve pour aller s'habiller et sans doute préparer le café matinal. Il aperçoit un petit carton blanc qui traîne sur le sol, à proximité des brillants débris d'un verre cassé ; il le ramasse et le retourne : c'est la « photo du crime » trouvée la veille sur la table de travail. Il la scrute avec attention et, presque aussitôt, ressent une vive résurgence de ses névralgies dentaires. Il va jusqu'à un miroir pendu au mur, où il regarde longuement son visage en se passant avec précaution le bout des doigts sur sa mâchoire douloureuse. Puis il s'avance à nouveau vers la fenêtre. La voiture de police a disparu, ainsi que le commissaire Mahdi. John se retourne face à la caméra.

Comme en contrechamp, on se trouve alors face à Ferid, l'aveugle aux lunettes noires, qui s'avance dans une ruelle du vieux Marrakech en frappant le sol de sa canne blanche (exactement comme on l'a vu dans un couloir du Triangle d'Or, remplaçant John lors du dernier rêve de celui-ci, chambre 13). Il s'arrête devant quelqu'un qui vient en sens inverse et qu'on ne voit pas (côté caméra), pour dire :

« Salamalec, Si Yaya ! » (Yaya correspond, je crois, au prénom Jean. A vérifier).

Puis, en vrai contrechamp, on découvre John, à peu près dans les mêmes cadrage, grosseur, costume, attitude, où on l'a quitté à l'instant dans sa chambre de Tazert. En fait, il aurait, cette nuit-là, dormi tout habillé sur son lit. La voix de l'aveugle (*off* sur John en gros plan) continue :

« Une jeune dame de vos amies est à la terrasse du... (nom d'un grand café, probablement du côté européen de la place Djemaa el-Fna). » Après un silence, l'aveugle en gros plan ajoute, sans doute avec une ironie sensible :

« Barakallaoufik ! »

Après un vague « Je vous remercie. » à peine murmuré, John continue son chemin.

On le voit de face, dans des rues maintenant très animées, marchant d’un air absorbé. Tout à coup il dresse la tête, pour apercevoir mieux quelque chose qui le concerne visiblement, gêné par les passants trop nombreux. Entre leurs têtes, il distingue en effet, de façon intermittente, Claudine qui est attablée à une terrasse de café. Elle est en compagnie d’unc amie très blonde assise en face d’elle (et vue de trois quarts arrière) qui pourrait être Leïla, qui même (il le constate bientôt dans un mouvement de tête de celle-ci) *est* Leïla. Il veut s’approcher rapidement, mais la foule le contrarie et lui bouche à nouveau la vue. Quand il parvient enfin à proximité de la table, Claudine est seule. Elle lève la tête vers lui et fait à son adresse un signe joyeux de bienvenue. Elle semble tout à fait ravie de le revoir. Lui, décontenancé par l’absence de l’autre, bredouille :

« Je ne voudrais pas vous déranger...

– Non, non ! Pas du tout. Asseyez-vous donc !

– Mais vous êtes avec une amie...

– Qu’est-ce que vous racontez ? Vous voyez bien que je suis seule !

– Il y avait à l’instant, en face de vous, une jeune femme blonde... Elle a dû s’absenter pour quelques minutes ?

– Une jolie femme à la chevelure blonde ? (Rire

moqueur.) Avec la plante du pied perpendiculaire au sol ! (Claudine, très à l'aise, rit de bon cœur.) Vous êtes complètement fou, ou bien vous avez des hallucinations ? En fait, je ne me rappelle plus exactement qui vous êtes. Mais je me souviens très bien de vous avoir déjà rencontré, dans quelque soirée d'amis, et de vous avoir trouvé très sympathique. Où était-ce au juste ?

– Mais voyons, c'était hier, chez Anatoli, l'antiquaire qui possède des dessins attribués à Delacroix.

– Ça me dit en effet quelque chose... Vous êtes un ami de mon cher Georgios Anatoli et vous vous intéressez à la vie amoureuse des peintres orientalistes... Sujet d'ailleurs passionnant. Mais Georgios n'est pas antiquaire. Où allez-vous chercher ça ? C'est un amateur d'art et un collectionneur... de toutes sortes de choses ! (Elle rit, d'un air plein de sous-entendus.) Et il est aussi metteur en scène. Tenez, vous devriez venir me voir jouer ce soir.

– Vous êtes actrice ?

– Oui... Un genre d'actrice.

– Demain soir, plutôt. Aujourd'hui, je voudrais me coucher de bonne heure, et je n'habite pas en ville.

– Oui, je sais. Mais je ne joue pas tous les jours,

Dieu merci. Et demain je pose pour des photos de mode, au bord de la mer. Essaouira, vous connaissez ? Une ville ancienne que les Français appelaient autrefois Mogador. Votre cher Delacroix y a vécu avec une ravissante marocaine, une certaine Leïla, qui a d'ailleurs fini tragiquement... Décapitée à la hache, quelle horreur !... Venez avec moi là-bas, demain, et je vous montrerai sa tombe. C'est un endroit charmant.

– Eugène Delacroix n'est jamais allé à Mogador.

– Qu'est-ce que vous racontez ? On a retrouvé récemment des carnets de croquis sans aucun doute exécutés dans des coins très reconnaissables de la vieille ville.

– Vous disiez que vous jouiez ce soir. Dans quel théâtre ?

– Au Triangle d'Or. Ça n'est pas une salle traditionnelle. Et c'est censément secret, mais n'importe quel taxi un peu futé vous y conduira... avec peut-être un petit supplément. Venez à dix heures et demandez Madame Elvira, c'est la patronne. Dites que vous êtes un ami de Georgios Anatoli et que vous venez de la part de Claudine. Maintenant, je me sauve. Ravie de vous avoir revu. A ce soir. Je suis sûre que vous aimerez le spectacle. Et après, on prendra un verre ensemble. »

John est abasourdi par ce flot de paroles, de contradictions et de bizarreries suspectes. Il ne sait quoi répondre, d'autant plus que la jeune fille se penche vers lui pour lui déposer un petit bécot sur le bout du nez, puis aussitôt s'enfuit dans un envol gracieux, avec un « Ciao ! » désinvolte. Mais, au bout de trois pas, elle revient, l'air soudain sérieux et même vaguement inquiétant, lui tendant un petit objet qu'elle a sorti de son vaste sac :

« Ah, oui, j'oubliais ! Le Docteur Anatoli m'a remis ça pour vous. C'est souverain contre les rages de dents. Vous verrez ! »

John prend la fiole qu'elle lui a mise en main, presque de force, et n'a pas le temps de dire un mot qu'elle est déjà partie, légère et vite absorbée par la foule. Il considère la petite bouteille et le liquide rouge vif qu'elle contient, très semblable à la potion absorbée la veille, qui avait en effet calmé la douleur durant un temps appréciable, avec seulement peut-être quelques effets secondaires du genre hypnotique ou hallucinogène. Dans un mouvement qu'il a fait pour mirer la liqueur vermeille vers la lumière, John aperçoit, un peu en arrière, assise seule à une table devant un verre ordinaire à demi plein d'eau, sa servante Belkis. Il fourre rapidement la fiole dans une poche et se lève. Il n'a rien consommé, aucun serveur ne lui ayant rien demandé, et il ne voit non plus aucune trace de consommations qu'auraient prises Claudine ou son amie. John regarde de divers côtés comme s'il réfléchissait à la direction qu'il allait prendre ; il fait semblant de découvrir alors Belkis et se dirige vers elle entre les tables, qui baisse les yeux (pour ne pas le voir ?). La jeune fille a sans doute fait un effort particulier de toilette et de coiffure, accentuant son air de petit animal sauvage et sensuel à la fois, tout à fait séduisant. John sourit pour lui-même en s'approchant. Quand il lui adresse la parole, d'un ton étonné, elle répond en redressant à peine le visage, sans le regarder en face ni manifester la moindre surprise.

« Qu'est-ce que tu fais là ?

– Rien, Monsieur. J'attends l'autobus pour rentrer à la maison. Le vieux serveur est mon oncle. Il m'a donné un verre d'eau.

– Tu avais des courses à faire en ville ?

– Oui, Monsieur.

– Tu as oublié de me prévenir ?

– Non, Monsieur. C'est après votre départ que j'ai pensé à des choses qui manquaient. (Elle désigne un assez petit sac en plastique, posé par terre à ses pieds.)

– Je rentre aussi. Tu veux que je te ramène ?
– Je ne sais pas, Monsieur.
– Alors viens ! C'est un ordre.
– Oui, Monsieur. »
Elle a eu un joli sourire timide pour prononcer ces deux derniers mots.

John en chemin, marchant à côté d'elle, lui enserre le cou par derrière dans sa main droite, exactement avec le même geste possessif qu'avait eu le vieux Monsieur envers Joujou, dans le couloir du Triangle d'Or. Peut-être sous l'effet de ce rapprochement qui lui vient à l'esprit, John ressent une soudaine poussée névralgique dans la mâchoire, qui se prolonge ensuite sourdement, comme en témoigne son habituel geste instinctif de se caresser la joue du bout des doigts, du côté de la dent malade. La douleur a l'air de s'installer, car John profite de leur arrêt près du cheval attaché aux remparts, pour avaler d'un coup le contenu de la petite bouteille rouge.

On les retrouve ensuite sur la route, entre les palmiers. John se tient sur sa selle de façon normale, mais n'a pas pris Belkis en croupe derrière lui. Comme elle est petite et menue, il l'a installée en amazone sur une sorte de coussin à la partie antérieure de la selle, tout contre lui. Le mal de dent s'est visiblement calmé sous l'effet de la potion miracle. Les deux bras de l'homme qui tiennent les rênes enserrent la jeune fille et il en profite pour lui embrasser le cou, et ensuite la bouche quand elle tourne son visage vers lui. Elle lui rend ses baisers avec une ardeur qui est beaucoup plus que de la soumission. Afin d'obtenir quelque aveu, il demande :

« Tu aimes que je t'embrasse ?

– Non, Monsieur. (Elle a pris un air boudeur.) Je sais que vous préférez les filles blondes.

– Où as-tu pris ça ?

– Elle vous a donné un rendez-vous pour ce soir. Et elle vous a posé un baiser sur la bouche avant de partir.

– Pas sur la bouche, sur le nez !... Ainsi tu m'espionnes ? Mais c'était un tout petit bisou, sec et amical ! (Il rit.)

– Est-ce que vous l'attachez au lit, pour lui faire des choses ? (Air faussement ingénu.)

– Ça serait sans doute assez plaisant. Qu'est-ce que tu en penses ? (Il fait exprès pour la taquiner.)

– Je ne sais pas, Monsieur. (Elle se referme.)

– (Après un silence.) Tu ne dis plus rien ?

– Méfiez-vous de cette jeune dame... Elle dort avec votre propriétaire ?

– Comment sais-tu ça ? Tu la connais ? (Son ton a brusquement changé, laissant deviner stupéfaction et inquiétude.)

– Non, Monsieur.

– Alors, parle ! (Il est redevenu autoritaire et brutal.)

– Ce matin, vous veniez de partir, un homme de la police est entré, un commissaire Mahmet ou Mehdi ou quelque chose comme ça. Il m'a montré une photographie de cette Française. Il voulait savoir si elle venait vous voir... C'est lui qui m'a dit ça, pour l'homme qui possède la maison.

– Mais pourquoi donc ? Quel rapport ? Qu'est-ce qu'il cherche, ce flic ?

– Je ne sais pas, Monsieur. » (Elle est à présent tout à fait fermée, à nouveau, et John réfléchit sans plus prononcer une parole.)

Le filmage de ce long dialogue pouvant poser quelques problèmes, il vaudrait mieux que John arrête sa monture pour embrasser Belkis plus commodément. A la fin, il donne un coup d'étrier nerveux à sa bête et le cheval part au trot enlevé, secouant fortement la frêle passagère qui se cramponne comme elle peut à son maître.

Ils arrivent à Tazert, devant la maison de John. Toujours silencieux, sans descendre de selle, celui-ci aide Belkis à sauter à terre. Elle reste ensuite debout près de la porte comme si elle attendait qu'il la rejoigne et lui confie le cheval pour qu'elle le mène à son écurie. Mais John semble indécis, songeur, et finit par prononcer quelques phrases décousues :

« Je me sens la tête vaguement engourdie, et la vue qui se brouille. Ces maux de dent me fatiguent... J'ai besoin de réfléchir. Je vais galoper un peu pour me remettre les idées en place... Prépare le dîner pour sept heures.

– Oui, Monsieur. »

On sent de l'étonnement chez la servante, peu habituée sans doute à tant d'explications, d'ailleurs plutôt incohérentes. Son maître devient bizarre, pense-t-elle, et c'est avec une sorte d'anxiété qu'elle ose murmurer à voix basse :

« Elle vous a donné un remède, et vous l'avez bu... C'était du poison !

– Puisque tu prétends que cette jolie dame m'aime, pourquoi voudrait-elle m'empoisonner ?

– Elle obéit à quelqu'un d'autre... Et il y a des poisons qui tuent seulement l'esprit.

– Tu dis des bêtises !

– Oui, Monsieur... Non, Monsieur. »

La seconde partie de cette dernière réplique a été dite d'une voix tout à fait sourde, comme pour elle-même. Et Belkis demeure en place, immobile, son petit sac en plastique à la main, pour regarder John partir lentement vers le haut de la casbah.

En fait, il ne cherche pas du tout un terrain plat pour piquer un galop. Il monte au contraire en direction des ruines où il avait parlé au fantôme de Gradiva. C'est déjà le crépuscule. Un ciel rouge serait évidemment une excellente affaire pour cette séquence. Bien entendu, le cavalier ne retrouve ni Leïla ni la jument blanche, ni rien qui attesterait leur passage. Et John ne comprend toujours pas comment la jeune femme a pu disparaître aussi vite, et sans faire le moindre bruit dans la pierraille, pendant les quelques secondes où il avait détourné la tête pour regarder en arrière.

Afin de se livrer à des investigations plus poussées, John est descendu de sa monture, qu'il tire par la bride au milieu des murailles écroulées. Soudain, à vingt mètres en contrebas, surgit de derrière un angle de mur un cheval noir monté par un homme vêtu de noir, à l'occidentale, les yeux masqués par des lunettes noires. Il ressemble beaucoup aux gardiens du Triangle d'Or, avec cette différence qu'il porte des bottes vernies et un costume d'équitation. Quant à la robe de son cheval, elle est identique à celle des deux bêtes qui ont participé à l'enlèvement de Djamila. La commode symbolique des couleurs devrait être respectée : la jument de Leïla est blanche, le cheval de John est bai brun, ceux des exécuteurs du Triangle d'Or sont noirs.

Il semble que ce cavalier noir, qui vient de s'arrêter là, traîne quelque chose, un objet assez pesant que ne voient ni John ni le spectateur du film. En effet, une grosse chaîne d'acier brillant, fixée à un anneau sur le côté apparent de la selle, se trouve tendue vers le bas, à plusieurs mètres en arrière du cheval, dans la partie du décor masquée par le pan de mur. Après avoir jeté un coup d'œil dans cette direction, l'homme met pied à terre et va vérifier quelque chose à l'autre bout (invisible) de la chaîne. Il reparaît presque aussitôt, défait le mousqueton retenant la chaîne, qui retombe alors sur le sol. Puis, ayant décroché de l'arçon une sorte de couverture noire enroulée sur elle-même, il s'en retourne derrière l'angle du mur, revient à nouveau dans le champ de vision, se tourne vers l'objet caché pour exécuter sur lui-même un rapide signe de croix, saute en selle et reprend sa route au petit trot, débarrassé de son fardeau hypothétique.

John attend quelques instants que l'autre se soit éloigné, avant de commencer à descendre le raidillon pour aller voir de quoi il s'agit. Mais, de façon incompréhensible, son cheval refuse de le suivre, il se cabre en hennissant comme de peur, et John, de plus en plus intrigué, finit par lâcher la bride et franchir seul les quelques pas qui le séparent du mystère. Au bout de la chaîne, de l'autre côté du mur, il y a une forme allongée, grossièrement recouverte par le rectangle de drap noir. John en soulève le coin le plus proche, avec lenteur (avec crainte ?), jusqu'à faire apparaître un pied nu féminin enchaîné par la cheville, puis la jambe entière d'une adolescente, la cuisse marquée des mêmes coups de fouet violents que portait Joujou quand John l'a vue en sortant de la chambre 13. Il découvre le corps encore plus haut et l'on peut apercevoir, fugitivement, que la jeune fille est entièrement nue et que son ventre est sillonné des mêmes cinglons, en longues estafilades rouge vif.

Ayant laissé retomber le drap noir sur le joli corps martyrisé, John fait encore un pas pour dégager la tête, de la même manière précautionneuse. Apparaissent alors une main, un bras, le visage. Mais on distingue mal, dans la nuit tombante, les traits de la victime. John prend donc une petite lampe de secours, dans la poche de sa vareuse, et promène le faisceau de lumière sur la chevelure, les yeux, la bouche de Joujou, morte sans aucun doute possible. L'arrière de son crâne a dû se fracasser sur une pierre du chemin : une petite flaque de sang frais vient de se former sous les cheveux épars. Il semble ainsi que, à l'instar de la malheureuse reine Brunehaut, elle a été traînée au galop, encore vivante, par un pied, à travers les anfractuosités et l'affleurement des roches. Il faut que, dans la nuit tombante, la clarté de la lampe soit suffisante, par moment, pour que l'on reconnaisse la jeune proie rieuse du vieux Monsieur, au Triangle d'Or.

Comme pour s'assurer que la chair en est encore chaude, John presse le bout des doigts sur un sein à la peau déchirée. Puis, avec la même lenteur, porte à sa bouche son index taché de sang. Précisons bien que toute la séquence doit être ouvertement une scène de cauchemar, où le réalisme et le vraisemblable ne sont pas convoqués. Peut-être sous l'effet de l'émotion, John laisse tomber sa lampe de poche, qui s'éteint aussitôt, plongeant l'écran dans le noir total.

La séquence suivante montre Belkis qui, anxieuse, attend son maître devant la porte de sa maison, dans la nuit noire. Elle est munie d'un très grosse lampe portative dont elle projette le spot de droite et de gauche. Entendant le bruit des sabots d'un cheval, elle braque le puissant faisceau lumineux dans la direction d'où cela semble provenir. C'est en effet le cheval bai de John qui revient vers l'écurie, mais tout seul et en proie à une anormale nervosité. On dirait qu'il veut entraîner Belkis à remonter la ruelle, comme s'il cherchait à la mener quelque part. Elle saisit donc la bride, mais en la laissant assez lâche pour que l'animal puisse choisir lui-même le chemin. Ils ne tardent pas à retrouver John, à l'endroit où nous venions de le quitter. La grosse lampe éclaire les lieux beaucoup plus nettement que la pile de poche utilisée par John. Il n'y a plus ni drap noir, ni jeune fille morte, ni flaque de sang, mais seulement une vieille chaîne rouillée (ne ressemblant guère à l'acier brillant de la précédente) que tient dans sa main serrée John, étendu à terre de tout son long, inanimé, les yeux grands ouverts.

Il ne s'agit vraisemblablement pas d'une chute de cheval. John d'ailleurs ne paraît pas blessé, bien qu'il ait du sang à l'intérieur de sa main droite (celle qui ne tient pas la chaîne) sur les doigts et la paume, ouverte. Belkis, pleine d'attention le ramène à lui sans trop de mal. Il est un peu hagard, mais il semble jouir de toutes ses facultés et il parle avec un minimum d'hésitations :

« Je me sens nettement mieux... Je vais pouvoir marcher... Est-ce que le dîner est prêt ?

– Oui, Monsieur, il vous attend.

– C'est bien... Allons-y. »

Il se relève sans avoir besoin d'aide et ils redescendent à pied vers la maison, suivis par le cheval bai. Au bout de trois pas, John s'aperçoit qu'il traîne derrière lui la vieille chaîne rouillée, conservée dans sa main gauche. Il la remonte vers ses yeux, disant d'un air intrigué à la servante :

« Éclaire-moi veux-tu ?

– Oui, Monsieur.

– Qu'est-ce que c'est que cette chaîne ? (Il tend entre ses deux mains la chose, que balaye le faisceau de lumière.)

– Je ne sais pas, Monsieur. »

Ni l'un ni l'autre ne fait allusion à la main droite, où le sang frais est pourtant fort visible, sans qu'aucune blessure l'explique. Après un dernier coup d'œil à la chaîne incompréhensible, John la jette sur le bord du sentier. Et ils poursuivent leur route sans plus rien dire. Mais, sitôt rentré chez lui, John demande avec la vivacité de celui qui se souvient soudain d'une urgence :

« Quelle heure est-il ?
– Il est sept heures, Monsieur.
– Appelle-moi tout de suite un taxi. Je dois aller en ville.
– Non, Monsieur ! (C'est là comme une prière véhémente, mais suivie bientôt par une acceptation résignée :) Oui, Monsieur. » Et elle s'éloigne pour exécuter l'ordre.

Ensuite, John, qui a mis un costume élégant, gris foncé ou anthracite, dîne seul en silence, servi par Belkis qui ne parvient pas à dissimuler ses larmes. On entend à l'extérieur, deux coups de klaxon venant de la ruelle. Et John se lève de table aussitôt, sans même finir son repas, alors que la servante vient de déposer devant lui une assiette garnie. La jeune fille gémit :
« N'y allez pas, Monsieur, je vous en supplie !
– Je dois y aller... Je ne sais pas pourquoi. »
Dans un soudain accès de tendresse, il serre Belkis dans ses bras. Puis il se dégage et sort. Mais, il a comme un sursaut de refus en constatant que, en fait de taxi, c'est la voiture rouge qui l'attend devant la porte. Après une brève hésitation, il y monte cependant et la voiture démarre aussitôt. La portière comme le moteur n'ont produit que des sons amortis et ouatés. Le siège arrière de

cette voiture est assez vaste (elle sert pour les enlèvements !), mais tout le coin gauche en est occupé par un amas de couvertures noires, ou – qui sait ? – par un corps que celles-ci dissimuleraient, un mort peut-être... ou une morte. John, installé à l'autre extrémité de la banquette considère en tout cas la chose avec suspicion. Il s'étonne également de voir le chauffeur rouler à vive allure sans même avoir demandé la destination du client. Il le questionne donc :

« Vous êtes bien le taxi que j'ai commandé par téléphone ? Je ne vois pas de compteur. »

Mais l'autre ne lui répond que par une phrase assez courte, en arabe, et John s'énerve :

« Vous comprenez ce que je vous dis ? »

Le chauffeur reprend en arabe, également d'une voix forte qui traduit son agacement. A ce moment, la couverture noire s'agite et un pan d'étoffe se rabat, dégageant une tête d'homme, celle de l'aveugle Ferid, qui proteste avec véhémence :

« Oh, là là ! Quel chahut !

– Qu'est-ce que vous faites là, vous ? (John est sidéré.)

– Vous voyez bien que j'essaie de dormir ! Mais comment voulez-vous y arriver avec ce boucan que vous faites. J'étais au beau milieu d'un rêve terrible, érotique évidemment comme tous les vrais rêves, et vous me réveillez avec votre éternelle histoire de taximètre absent ! De toute façon, vous perdez votre salive : ce brave chauffeur ne comprend pas un mot de français. Je lui sers d'interprète.

– Alors expliquez-moi pourquoi il ne m'a même pas demandé où je désire me rendre !

– Parce qu'il sait très bien que vous devez être à dix heures au Triangle d'Or pour le nouveau spectacle.

– Mais comment sait-il ça ?

– Tous les chauffeurs de taxi travaillent pour la police, ne le saviez-vous pas, John Locke ? Ce genre de spectacle est toléré, mais en principe interdit. La clientèle de chaque soirée se trouve donc répertoriée à l'avance.

– Dans quel but ?

– En prévision, évidemment, d'une éventuelle plainte pour outrage aux mœurs, ou bien d'un crime sexuel, d'une rixe qui tourne mal, de n'importe quel incident sérieux où il vaut mieux connaître tout de suite la liste des personnes à interroger... Bon, maintenant que vous voilà rassuré, je me rendors ! »

L'aveugle retrouve sa position recroquevillée et commence à rabattre la couverture noire sur sa tête. Mais John, moins convaincu qu'irrité par les explications fournies, demande :

« Et c'est aussi la police qui règle les courses ?

– Pourquoi dites-vous ça ?

– La dernière fois, rappelez-vous : vous m'avez fait descendre sans payer...

– Moi ? La dernière fois ? Mais quelle dernière fois. Je ne vois pas de quoi vous parlez. C'est la première fois que je prends un taxi avec vous, et c'est bien la dernière, croyez-moi ! Bonsoir ! »

Ses derniers mots sont en très gros plan sur son visage, et lorsqu'il rabat la couverture sur ses lunettes, tout l'écran devient noir.

Le plan qui fait suite montre la porte du théâtre, vue de très près : presque tout le cadre est occupé par l'emblème du club : un triangle équilatéral doré, pointe dirigée vers le bas, fendu sur toute sa hauteur par la stylisation d'un œil dont l'axe des commissures est vertical. La pupille, au lieu d'être un trou, constitue le bouton de la sonnette, sur lequel appuie la main de John. La porte s'ouvre aussitôt. Le champ s'étant élargi, on voit ensuite John entièrement, ainsi que le garde qui lui fait face. Celui-ci est absolument identique, comme allure, visage et costume, au cavalier noir aperçu au milieu des ruines dans le récent fantasme à la chaîne. Il dit :

« Vous n'êtes pas armé ?

– Non, bien sûr ! »

Ne se contentant pas de cette déclaration, le garde noir tâte consciencieusement les flancs de John, auquel il a, d'un signe muet, fait lever les bras en l'air. Ne trouvant rien de suspect, il conclut :

« C'est bien, vous pouvez entrer. »

Après un très gros plan sur les yeux du garde, on retrouve John pénétrant dans un salon assez élégant. Madame Elvira y trône sur un fauteuil seigneurial. John dit, en s'approchant :

« Madame Elvira, je présume ?

– Bienvenue à vous, Monsieur Locke ! Les orientalistes sont toujours souhaités à nos représentations. Et votre présence ici est pour nous un grand honneur.

– Vous me flattez, Madame. »

Madame Elvira ne s'est pas levée pour l'accueillir et ne tend pas la main à son visiteur. Elle a pris sur un guéridon, près d'elle, une baguette terminée par une boule, dont elle donne deux coups secs sur une cloche en bronze au tintement impérieux. Aussitôt, Joujou fait son entrée.

L'adolescente est pieds nus, elle porte à la cheville gauche un épais bracelet métallique qui traîne un bout de trente centimètres d'une chaîne brillante, exactement semblable à celle du fantasme précité. Et, plus haut, sa jambe nue porte les mêmes marques de fouet. Un de ses poignets est enserré aussi par un large anneau de fer, auquel pendent quelques maillons de chaîne. La petite robe de la jeune fille est déchirée comme elle l'était quand John l'a vue en sortant de la chambre 13. Mais, cette fois, elle fait en passant près de lui une petite révérence rapide en lui adressant, les yeux baissés, un gentil sourire timide. Puis, les yeux toujours au sol, elle s'immobilise devant sa maîtresse, qui déclare :

« Joujou va vous accompagner à votre place. Ma petite élève vous convient ?

– Elle a été fouetté ? Pour quelle raison ?

– Mais non, voyons, c'est du maquillage ! Nos actrices, pendant les entractes, servent les clients dans la salle, en conservant la tenue dans laquelle ils viennent de les admirer sur la scène.

– C'est drôle, on dirait tout à fait les marques récentes de vrais cinglons.

– Notre maquilleuse est une artiste. Je trouve d'ailleurs dommage que vous n'ayez pas assisté à ce premier tableau, en début de soirée. Il y avait même un magnifique cheval noir parmi les figurants. »

John a son geste familier : un effleurement du bout des doigts sur son maxillaire atteint. Puis il suit Joujou à qui Madame Elvira ordonne sans douceur :

« Tu feras asseoir Monsieur Locke à la table du commissaire Mahdi, en les présentant l'un à l'autre avec le respect qui leur est dû. Et souviens-toi de ce qu'il arrive quand tu commets la moindre faute de service !

– Oui, Maîtresse, je me souviens. »

Joujou a répondu d'un air soumis et repentant, mais, sitôt seule avec John dans le corridor, elle redevient d'un coup la fille rieuse et délurée rencontrée lors de sa première apparition dans le film ; elle dit d'un ton mutin :

« Vous pouvez toucher, pour savoir si c'est du vrai ou non. »

Et, comme elle s'est arrêtée avec un sourire engageant, l'adolescente relève le bord inférieur de sa robe et ouvre un peu les cuisses, pour en présenter l'intérieur meurtri à John. Celui-ci caresse d'abord délicatement les tendres chairs intactes (presque le même geste que sur sa propre mâchoire endolorie), disant :

« Tu as la peau très douce. »

Ensuite, appuyant un peu plus, il passe un doigt le long d'une trace rouge et la petite a un frémissement, suivi d'un léger recul instinctif. John demande :

« C'est très douloureux ?

– Un peu, oui, là où la lanière a frappé trop fort.

– Et qu'avais-tu fait de mal ?

– J'ai cassé un verre par maladresse, en servant à boire avec les deux mains enchaînées ensemble.

– Ça ne doit pas être pratique !

– Non, mais c'est amusant. Et les orientalistes adorent ça ! »

Elle a son petit rire insouciant et gai. Ils arrivent à la salle du café-théâtre, où quelques messieurs bien habillés (à l'européenne) sont assis à des tables assez isolées les unes des autres. Joujou se dirige vers celle qu'occupe un policier en uniforme (celui que John a vu à Tazert, en faction devant sa demeure). Celui-ci, sans se lever, adresse au nouvel arrivant un large sourire cordial, tout en lui désignant le siège inoccupé en face du sien. Joujou fait les présentations :

« Monsieur le Professeur John Locke, Monsieur le Commissaire Divisionnaire Mahdi ben Mochrane. »

Le commissaire affiche un air tout à fait jovial, et il dit en riant :

« Un bon point, petite fille, tu as bien appris ta leçon. »

Et il lui donne quelques petites tapes d'encouragement sur les fesses.

« Aïe, aïe ! » fait Joujou, avec bonne humeur et docilité, expliquant aussitôt à voix basse, faussement confidentielle, en se reculant à peine, mais avec un joli sourire :

« Pas trop fort du côté gauche, Monsieur le Commissaire. C'est là que j'ai la peau un peu déchirée. »

Mais à ce moment les lumières baissent progressivement dans la salle, tandis qu'une voix de femme annonce par haut-parleur invisible :

« Deuxième Tableau : Le marchand d'esclaves, d'après Auguste Manneret », titre suivi par une musique orientale lancinante et sirupeuse.

Bientôt, les lourds rideaux rouges s'écartent, laissant apercevoir sur la scène une composition de fantaisie au sujet traditionnel :

L'acheteur enturbanné, en vague costume ottoman, est confortablement installé sur un divan d'apparat aux coussins profonds, à demi allongé, caressant d'une main négligente une petite odalisque à genoux près de lui. (Il s'agit de Nina, pensionnaire déjà connue des habitués.) De son autre main, il tient le tube d'un narghilé. Une grande odalisque noire (ou métisse) est debout près d'eux, à demi nue et portant de lourds bracelets d'esclave aux poignets et aux chevilles, qui évente doucement son maître à l'aide d'une vaste palme de soie, souple et plumeuse. Un grand chien noir, couché un peu en avant, regarde lui aussi la jeune fille-objet que présente le marchand. Celle-ci est entièrement nue, parfaitement alanguie et soumise ; c'est donc sans doute pour la seule valeur décorative que ses deux mains sont enchaînées ensemble, par-devant. Elle est debout, mais courbée vers son futur maître, dans une ultime pudeur vaine – dirait-on – car cela empêche de voir distinctement sa poitrine et son ventre, de même que sa tête baissée cache le visage. Tout en courbes gracieuses, comme le reste du corps, ses deux bras sont mollement étendus vers l'avant, presque à l'horizontale.

Le marchand, très turc lui aussi, est muni d'une longue baguette dont l'extrémité semble soulever la chaîne qui lie les poignets de la captive. Sur un geste du seigneur, il redresse progressivement sa baguette, entraînant (sans résistance) les mains vers le haut, ce qui déplie peu à peu tout le corps pour exposer aux regards le pubis, le ventre, les seins, et enfin le visage de la jeune fille, en qui l'on reconnaît alors Djamila dans un parfait état de grâce. Il n'est peut-être pas souhaitable (malheureusement) que le chien noir se lève alors avec nonchalance pour aller lui flairer les cuisses et le sexe. Sous les applaudissements de la salle (il s'agit en effet d'une nouvelle acquisition du Triangle d'Or), les rideaux rouges se referment lentement. Bien que peu reconnaissable sous son turban et sa barbe postiche, le riche seigneur de la scène en question devait être le Docteur Anatoli en personne.

La lumière étant revenue dans la salle, où le nombre des spectateurs a augmenté juste avant le lever du rideau (on reconnaît en particulier le vieux Monsieur protecteur de Joujou, l'aveugle Ferid, etc.), Mahdi, toujours aussi jovial, adresse aussitôt la parole à son voisin de table :

« C'est très aimable à vous, cher Monsieur Locke, d'avoir accédé à cette demande d'entretien que je vous ai adressée.

– Comment ? Vous ne m'avez jamais...

– Mais si, mais si ! Bien que de façon détournée, pour ne pas enfreindre les règles de la politesse et de l'hospitalité due aux étrangers de passage... Vous avouerez qu'une convocation au commissariat – d'ailleurs tout proche, presque dans le même immeuble – aurait été beaucoup moins urbaine.

– Je ne comprends pas. Que me voulez-vous donc ?

– Rien de précis, soyez sans crainte... Probablement une série de coïncidences malheureuses.

– Mais encore ?

– Bon ! Vous avez raison, Monsieur Locke : disons donc les choses carrément. Voilà : un certain nombre de jolies filles ont disparu dans un village de montagne et alentour, aux environs immédiats de votre résidence. L'une d'entre elles au moins semble avoir été violée, puis assassinée d'une façon particulièrement... cruelle. Or, nous avons, d'autre part, retrouvé vos empreintes digitales sur le manche d'un poignard dont la lame était maculée de sang humain... féminin, même, pour être plus précis... Remarquez que ce poignard peut très bien avoir été dérobé chez vous par le criminel : un bel objet de collection qui vous aurait, par exemple, servi de coupe-papier... D'après nos multiples vérifications, votre porte serait assez accessible pour un cambrioleur de niveau moyen...

– Tout cela est passionnant. Mais, deux questions importantes : Où ce poignard sanglant a-t-il été découvert ? Le sang qui le maculait pouvait-il être celui de la victime dont vous me parlez ?

– Excusez-moi, Monsieur Locke, mais il s'agit d'une enquête difficile à ramifications multiples. Et il ne nous sert à rien de vous en dévoiler tous les détails, d'une manière aussi prématurée. » (Le ton de Mahdi reste affable et souriant.)

Mais, à ce moment, les lumières baissent de nouveau et la voix féminine dans le haut-parleur annonce :

« Troisième Tableau : La favorite déchue, d'après Fernand Cormon. »

Les rideaux rouges se rouvrent et l'on voit alors sur la scène une disposition des personnages analogue, en effet, à celle de la peinture en question. Le sultan, qui assiste à l'exécution de son ancienne favorite (Nina), est à demi couché sur une méridienne d'apparat. (Est-ce la même que dans le tableau précédent ? L'homme est-il encore Georgios Anatoli, dans un costume différent ?) La nouvelle favorite, aux trois quarts nue (un pantalon mauresque d'étoffe légère lui dégage le ventre presque jusqu'au pubis), est allongée à la renverse contre lui. Son maître lui caresse la taille, les hanches, les seins, d'une manière nettement plus appuyée que les affleurements vus avant l'entracte. Ce rôle est tenu par Claudine. Nina, la sultane déchue, comparaît debout devant eux. Son corps nu est seulement voilé par une espèce de gandoura-chemise de nuit en gaze transparente. Un peu en retrait sur le côté, la grande odalisque noire tient un fouet dans sa main droite. Sur un signe du Sultan, elle fait tomber à terre le vêtement léger de Nina. Celle-ci, dans un geste à la fois de honte et d'abandon, lève les bras vers son visage pour se cacher les yeux derrière un coude replié, reproduisant alors la pose du célèbre tableau pompier « Phryné devant l'aréopage ». Un nouveau mouvement de main du maître lui ordonne de se mettre à genoux. Mais Nina n'obéit pas assez vite (n'a-t-elle pas bien perçu le signe, derrière son bras ?) et l'odalisque noire la frappe d'un coup de fouet sur les fesses. Cette fois Nina s'agenouille, puis, écartant les cuisses, se prosterne devant son seigneur en cambrant les reins.

L'odalisque lui cingle les fesses de deux coups supplémentaires, plus violents, qui font tressaillir la victime et pousser deux gémissements contenus. Le Sultan caresse la nouvelle favorite plus sensuellement et l'interroge du regard. Claudine étend paresseusement son bras gauche et fait avec le pouce ce geste romain (*pollice verso*) qui condamne à mort sa rivale. Le Sultan ouvre les deux mains dans une mimique d'acceptation fataliste du destin. L'odalisque relève brutalement Nina, lui lie les poignets derrière la taille et l'entraîne jusqu'au billot, contre lequel on la met de force à genoux, courbée sur le bois, la tête couchée sur le côté, le cou offert à la décapitation. On voit nettement sur sa croupe les trois lignes rouge vif laissées par la lanière de cuir. Nouveau signe du Sultan. Le bourreau (présent depuis le début de la scène) lève sa hache avec lenteur, tandis que le rideau tombe d'un coup, suivi aussitôt par un cri déchirant de Nina. Applaudissements.

Retour à la table de John. Le Commissaire Mahdi n'est plus là. Anatoli et Claudine, descendus dans la salle, circulent entre les spectateurs assis qu'ils saluent au passage, la jeune fille ayant adopté de charmantes manières d'esclave de lit. Djamila s'approche de la table de John. Elle a conservé la chaîne qui lui attache les poignets l'un à l'autre, mais sans doute n'est plus toute nue, le corps partiellement couvert par un costume de Moyen-Orient mythique : pantalon de voile large et bouffant qui dégage les hanches et le ventre très en dessous du nombril, soutien-gorge rudimentaire en perles de jais, etc. La nouvelle actrice-serveuse est maintenant toute souriante et gentille, mettant sagement en valeur sa souplesse et sa grâce. Elle dépose devant John, avec une courbette aisée, le verre d'alcool qu'il avait sans doute commandé.

Anatoli, suivi par Claudine, arrivent à ce moment. Il a une caresse paternelle (?) pour la nouvelle pensionnaire, s'attardant un peu sur le creux de la taille et la hanche dodue. Puis il s'assoit sans rien demander à John, auquel il s'adressera sans préambule. Claudine demeure debout derrière son maître. Ou bien s'agenouille-t-elle sur un coussin à terre, contre le fauteuil, comme se tenait Nina au Deuxième Tableau ?

« Je vous ai fait venir, dit Anatoli, pour avoir votre avis sur mes nouvelles découvertes. Puisque vous vous intéressez spécialement aux chevaux chez Delacroix, il faut absolument que je vous montre ces dessins-là, qui sont très personnels si vous voyez ce que je veux dire... Je vais peut-être m'en inspirer, moi aussi, pour mes prochaines mises en scène. »

Avant que John ait pu répondre, la voix *off* de la présentatrice du spectacle annonce :

« Quatrième Tableau : La mort de Gradiva, d'après Gustave Moreau ».

Et aussitôt les rideaux s'ouvrent sur la scène dont John a déjà vu le résultat final dans la chambre 13 : Leïla, peu vêtue de gazes en désordre, partiellement enchaînée sur sa couche et déjà frappée de blessures profondes à l'aine, bien visibles à cause du sang qui s'écoule en abondance, bouge faiblement dans ses liens et gémit, émouvante, renversant de façon spasmodique sa tête à la chevelure défaite, ouvrant la bouche en de longs râles qui s'accélèrent et pourraient être de jouissance, etc. Un personnage masculin, vu de trois quarts dos, qui ressemble fort à John lui-même, dans le complet sombre qu'il porte ce soir (son visage n'est pas identifiable), la contemple à deux pas de distance, debout sur la droite (vers la tête du lit). C'est probablement cet homme qui vient déjà d'éventrer la victime offerte à sa cruauté et qui s'apprête maintenant à terminer son supplice. Il tient en effet le poignard marocain ensanglanté dans sa main droite. Il le brandit à nouveau en s'avançant vers sa proie, dont le halètement s'affole, et l'abaisse avec lenteur pour l'enfoncer à la base du sein gauche (vers le sommet du cœur). Leïla pousse un long cri au paroxysme de la souffrance, ou de l'extase voluptueuse, tandis que le rideau se referme (ou retombe ?).

Bien que la scène ait été assez brève, dans sa presque immobilité, elle a néanmoins duré suffisamment pour que la table de John reparaisse ensuite à nouveau transformée : Anatoli a disparu et Claudine se tient à présent contre le fauteuil de John (agenouillée ou debout, comme précédemment près de l'antiquaire). Le verre d'alcool que Djamila avait apporté est sur la table, vide, et Claudine présente avec déférence un second verre, plein de ce liquide rouge vif qui soigne les maux de dents, à John qui se caresse la mâchoire dans une attaque de sa névralgie si forte qu'elle le fait grimacer.

« Buvez ! » dit-elle avec une douceur très persuasive. Il obéit sans hésiter.

Ensuite, elle le prend par la main et l'emmène dans une petite pièce (est-ce une loge de comédienne ?) où elle ouvre une armoire fermée à clef. Elle en retire un grand carton à dessin d'où elle extrait les esquisses annoncées par l'antiquaire, disant :

« Vous voyez, il s'agit visiblement d'études préliminaires pour les « Massacres de Scio », qui devaient à l'origine constituer une série de plusieurs toiles. »

En effet, le premier croquis ressemble beaucoup au cavalier turc qui galope avec une belle fille nue attachée derrière lui sur la croupe du cheval, dans une posture qui exhibe toute sa splendeur sexuelle, encore bien plus que sur le tableau célèbre que nous connaissons. Mais la seconde esquisse, plus inattendue, montre une autre captive qui gît sur le dos, les mains ramenées derrière la taille (invisibles donc, mais sans aucun doute liées ensemble) et les cuisses écartelées par deux cavaliers tirant sur des chaînes fixées à leur selle qui enserrent les chevilles. Le sexe entrouvert est tourné vers le spectateur, comme dans « L'Origine du monde » de Courbet. L'image étant prise ici en plongée, on voit nettement les seins, ainsi que le visage hurlant de douleur. Un assistant muni d'un long fouet s'apprête à frapper, sans que l'on sache exactement si la lanière sera dirigée vers le flanc d'un cheval ou vers les cuisses ouvertes et le bas-ventre de la suppliciée.

Claudine passe rapidement sur le troisième dessin, disant :

« Celui-là, je crois que vous l'avez déjà vu. »

Il s'agit du cavalier noir qui traîne par un pied le corps nu d'une adolescente (Joujou) au milieu de la pierraille. La caméra ayant montré celle-ci en gros plan, John revoit Joujou dans le fantasme nocturne, pendant que des cris et gémissements féminins se font entendre, étouffés, à l'extérieur de la petite pièce. John s'aperçoit alors que Claudine a quitté celle-ci.

La disposition des lieux s'est-elle modifiée ? En tout cas, croyant ressortir par la porte qu'il vient d'emprunter quelques instants auparavant, John pénètre dans une sorte de débarras, de cabinet particulier ou de cachot, où il voit Claudine, dans la même tenue que précédemment, en train de fouetter Djamila sur les fesses. Celle-ci est toute nue, comme dans le « Deuxième Tableau » de la représentation, et a toujours les mains enchaînées ensemble par-devant. Elle est à genoux, cuisses ouvertes et taille cambrée, vue de dos, les bras levés au niveau des cheveux, les poignets accrochés par leur chaîne à un piton fixé dans le mur. Sa croupe offerte est déjà striée de lignes rouges. Claudine brandit le fouet pour frapper de nouveau, malgré les supplications balbutiées par la coupable. Mais John ne verra pas la suite du châtiment, Claudine s'étant aussitôt retournée d'un air courroucé :

« Sortez d'ici, Monsieur ! L'accès de cette pièce

est interdit aux clients ! Tous les membres du club le savent. Mais qui êtes-vous donc ? Et d'où venez-vous ?... Je vois ! Vous êtes le meurtrier fou que la police recherche ! Au secours ! A l'assassin ! A l'assassin ! »

La jeune fille ne semble pas effrayée, mais dans une très grande colère. Visiblement, elle ne reconnaît pas John. Celui-ci bat précipitamment en retraite, la porte claque derrière lui et se clôt dans un bruit exagéré de clefs anciennes.

John se retrouve, non plus dans la chambre aux gravures, ce qui semblerait normal, mais dans un long couloir obscur où brillent à intervalles réguliers de faibles lumignons (simples bougies ou lampes à huile). S'éclairant mal avec la petite pile de poche dont il s'est servi lors du fantasme Joujou-Brunehaut, il ouvre une porte latérale à tâtons et trouve un interrupteur électrique. La lumière qu'il déclenche, très directionnelle et apprêtée, laisse voir une petite salle aux murs de pierre, arabo-médiévale, et un amas de chairs nues sanguinolentes : trois ou quatres filles exécutées à coups de poignard, avec en particulier au premier plan, bien reconnaissables, Joujou et Claudine. Celle-ci, pas tout à fait morte, émet encore un long râle d'agonie, le regard fixé sur l'objectif. La composition rappelle beaucoup le tableau orientaliste intitulé « La justice du chérif » de Benjamin Constant.

Mais voilà qu'un rire de femme retentit, répercuté par les voûtes, juste derrière John qui se retourne vivement et se trouve face à Leïla, immobile et dressée, brandissant le poignard marocain de la chambre 13, comme si elle allait le transpercer à son tour, dans une attitude et un costume dignes d'un Gustave Moreau vaguement préraphaélite. Elle fixe l'intrus avec un long rire silencieux, assez effrayant. La caméra se rapproche lentement de son visage (probablement un simple zoom) et finit par le cadrer en gros plan, tandis que ses traits changent d'expression, témoignant plutôt désormais une sollicitude un peu décontenancée, voire anxieuse. Le décor autour d'elle ayant été presque éliminé, les draperies rouges en fond derrière sa chevelure pourraient être aussi bien les rideaux du petit théâtre. Elle murmure :
« Vous ne vous sentez pas bien, Monsieur Locke ? »

Contrechamp sur celui-ci, qui est toujours installé à sa table, dans la salle de spectacle, devant les rideaux rouges fermés sur quoi se détache la chevelure (illuminée à contre-jour) de Leïla. Il est en compagnie de Claudine, qui s'est assise à ses côtés, sur une chaise. Le verre ayant contenu la boisson rouge antinévralgique est posé entre eux, sur la table, vide. Claudine, sans paraître le moindrement émue, dit à Leïla :

« Ce n'est rien. Il vient de boire un remède énergique contre ses rages dentaires. Ça lui donne quelques vertiges sans gravité, accompagnés sans doute de troubles bénins dans la perception des images et des sons. »

En fait, John a un air hagard franchement inquiétant, qui se termine par un long rire silencieux, identique à celui de Leïla dans son apparition fantasmatique.

Il parvient enfin à prononcer un mot :

« Leïla !

– Non, corrige Claudine, notre vedette ne se nomme pas Leïla, mais Hermione. Son évidente ressemblance avec la jeune esclave blanche, probablement affranchie, qui posait pour Delacroix et dont nous possédons de si nombreux portraits, a donné l'idée à notre scénariste de la faire figurer dans divers tableaux vivants, exécutions capitales ou supplices préliminaires, se rattachant plus ou moins à sa fin tragique, dont il existe, comme vous savez, de multiples versions. »

Elle a expliqué tout cela, comme pour un enfant ou un aliéné mental, avec application et souci marqué de pédagogie. Hermione, pour sa part, conserve son visage troublé, frémissant, anxieux. Paraissant en proie à une violente envie de s'enfuir, elle exécute quelques mouvements incertains et dansants, de droite et de gauche, dans la salle qui s'est vidée de tous les spectateurs, où la plus grande partie des lumières s'est d'ailleurs éteinte. La jeune femme finit par dire à voix basse, comme en confidence :

« Il est tard. Je dois vous quitter. Il me faut aller au cimetière, comme chaque nuit, pour prier sur la tombe de cet autre moi-même, ma sœur jumelle infortunée. »

Elle fait deux pas hésitants pour s'éloigner, mais bientôt s'arrête et revient vers John, dont la personne semble exercer sur elle une sorte de fascination. Parvenue tout contre lui, elle murmure en le regardant au fond des yeux :

« Pardonnez-moi, Monsieur, vous ressemblez par moment, d'une manière horrible, à son assassin. »

Elle a l'air, ou bien de jouer la comédie, ou bien d'être tout à fait dérangée. Dans un brusque envol de ses vêtements vaporeux, elle se met à courir et aussitôt disparaît.

John, interdit, réfléchit un instant et demande à Claudine :

« Que signifie cette histoire de cimetière et de jumelle assassinée ?

– Rien du tout... Elle divague ! (Claudine paraît plutôt embarrassée par le comportement de sa camarade.)

– Mais encore ?

– N'y faites pas attention. Hermione est parfois bizarre, en ce moment... Elle n'a jamais eu de sœur, encore moins de jumelle... Il y a trois nuits, elle a subi une agression dans les coulisses du théâtre, une chose sans gravité comme il en arrive de temps à autre avec des amateurs un peu fragiles, mais elle s'imagine avoir en fait rencontré ce soir-là le criminel sadique recherché par la police, qui aurait frappé à coups de poignard dans le ventre, non pas elle-même mais son double,... son double imaginaire, vous comprenez ? Le Docteur Anatoli, qui était son amant en titre, (petit rire) avant mon arrivée, surveille de près le développement de sa névrose. Il n'est pas loin de penser qu'elle joue la comédie.

– Dans quel but ?

– Je ne sais pas... Pour se venger... Pour nous donner mauvaise conscience... Pour jeter le discrédit sur cette honorable maison...

– Ce criminel, dont vous parlez, reprend John avec hésitation après un silence, est-il vrai que je lui ressemble ?

– Comment le savoir ? Personne ne l'a jamais vu !... On a retrouvé, depuis une semaine, plusieurs corps dénudés de jolies filles, mortes... ou mourantes, droguées avec des euphorisants et immobilisées par des chaînes dans diverses postures, sans aucun doute torturées longuement avec un couteau de boucher. Mais le seul témoin qui prétend pouvoir le décrire est Hermione. Or, l'histoire qu'elle raconte ne tient pas debout et a l'air inventée de toute pièce... Bon ! Il faut aller dormir ! Une voiture de la maison va vous reconduire chez vous.

– Un taxi rouge ?

– Pourquoi dites-vous ça ? Il n'y a pas un seul taxi rouge dans tout Marrakech ! (Elle rit franchement.) Ne seriez-vous pas un peu bizarre, vous aussi ? En tout cas, n'oubliez pas que vous m'avez promis de m'accompagner demain à Mogador. C'est tellement ennuyeux, ces séances de pose ! Le photographe nous prendra au café (...toujours le même nom de grand établissement à terrasse), à dix heures juste. » Claudine est redevenue subitement, dans toute cette dernière réplique, la fille d'une gaieté insouciante et vive que nous connaissions, ayant semble-t-il tout oublié du drame qui précède. Mais, à ce moment, retentit une longue sonnerie continue, comme on entend au théâtre à la fin de l'entracte, et, quand elle s'arrête, les lumières restantes s'éteignent d'un seul coup.

Sur ce noir, apparaît la séquence suivante : Belkis est debout devant la grande porte de la demeure de John, dans la nuit. Les phares d'une voiture l'éclairent progressivement. La voiture s'arrête devant elle et John en descend. Ils sont silencieux l'un et l'autre. Le faux taxi rouge, car il s'agit bien de lui, fait aussitôt demi-tour. Belkis allume le contact de sa grosse lampe portative. John dit :

« Tu m'attendais ?

– Oui, Monsieur. » répond la jeune fille, puis elle éclate en sanglots, bredouillant en souriant un peu dans ses larmes : « Je croyais que vous n'alliez plus revenir. »

John, ému, lui ouvre les bras et Belkis se précipite vers sa poitrine, où elle se blottit. L'homme la serre avec tendresse contre lui. Belkis laisse choir la lampe, qui s'éteint sous le choc, et l'écran est de nouveau noir.

On retrouve le maître et sa servante dans leur grand lit en désordre. Étendus sur le dos, ils se tiennent gentiment par la main, John vêtu d'un pantalon de pyjama et la jeune fille entièrement nue, mais partiellement couverte par les draps défaits. Belkis semble heureuse et apaisée. Probablement John vient-il de lui faire l'amour d'une façon qui l'a satisfaite. Lui, au contraire, a gardé son visage soucieux, lointain, entièrement occupé par d'autres problèmes. Belkis se tourne vers lui et s'en rapproche, disant timidement :

« Monsieur ?

– Oui.

– Si cela vous donnait du plaisir...

– Eh bien, continue !

– Je voulais vous dire... Vous pouvez me fouetter, ... si vous en avez envie... Tous les messieurs font ça, avec leur petite esclave de lit. (John réfléchit en silence, puis demande :)

– Pour te punir de quoi ?

– Je ne sais pas, Monsieur... On trouve toujours des prétextes... Les filles sont mauvaises, il faut les fouetter de temps en temps, pour qu'elles n'oublient pas à qui elles appartiennent.

– Tu aimerais ? (Elle se rapproche encore plus de lui.)

– Je ne sais pas, Monsieur. »

Elle se colle contre lui dans une sorte d'aveu charmant.

C'est alors que le chant andalou, toujours le même, arrivant par la fenêtre ouverte, s'enfle progressivement. John dresse la tête. Belkis, avec ses deux mains, essaie de lui boucher les oreilles. Mais l'homme se dégage brutalement et immobilise les poignets de la servante derrière la taille de celle-ci, tout en la maintenant avec fermeté contre lui, peut-être (qui sait ?) comme une sorte de rempart protecteur. Les sabots d'un cheval au pas résonnent sur les pavés de la ruelle, montant vers la citadelle en ruine.

John a les yeux fixes, hallucinés. Il ne bouge plus du tout, regardant dans son rêve éveillé la jument blanche qui monte la côte, tenue à bout de bride par Leïla en robe vaporeuse, marchant à ses côtés de son pas dansant, sans que l'on sache qui mène l'autre. Ou bien Leïla est-elle montée en amazone sur la bête, évoquant la peinture célèbre de Jules Lefebvre qui représente Lady Godiva ? Les sabots du cheval blanc sont à présent parfaitement silencieux : quand on le voit, on ne l'entend pas, mais quand on l'entend, il demeure invisible.

Revenant sur John, comme en contrechamp de cette vision, l'image est maintenant matinale. John prend son petit déjeuner, servi par Belkis. Il a le même visage tendu, soucieux, fermé. La servante s'active, jetant à la dérobée ses regards inquiets vers son maître. Elle finit par dire ce qu'elle a sur le cœur :

« Monsieur ?

– Oui ?

– La nuit, Monsieur...

– Quoi : la nuit ?

– Le chant qui entre, la nuit, par la fenêtre...

– Tu sais d'où il vient ?

– Non, Monsieur, mais il n'est pas d'ici.

– Que veux-tu dire ?

– Ça n'est ni de l'arabe, ni du berbère.

– Et alors ?

– C'est la Mort, Monsieur, qui vous appelle...

– Belkis !

– Oui, Monsieur ?

– Est-ce que tu m'aimes ?

– Oh ! Oui, Monsieur ! »

Elle éclate en sanglots désespérés.

Par un faux contrechamp, on retrouve John un peu plus tard, en gros plan, avec le même visage et le même costume. Mais il marche à grands pas dans une rue animée de Marrakech, se dirigeant comme la première fois vers le café X..., apercevant Claudine à la terrasse, mais la perdant ensuite de vue à cause des passants qui s'interposent entre eux. Quand il arrive près de la table où elle était assise à l'instant, il est surpris d'y trouver non plus Claudine, mais Hermione. Celle-ci a changé du tout au tout. Elle est gaie, décontractée, bavarde. Il dit :

« Bonjour ! Claudine n'est pas là ?

– Elle avait oublié quelque chose d'important chez elle. Un truc pour le travail. Elle sera de retour dans un instant.

– Elle habite près d'ici ?

– Ça, je n'en ai pas la moindre idée ! (Elle rit et, visiblement, c'est un mensonge.) De toute façon, les photographes sont toujours en retard.

– Vous posez aussi pour des photos de mode ?

– Quelquefois, oui, de mode ou d'autre chose. Mais ça n'est pas mon métier, je suis comédienne.

– Oui, je sais, je vous ai vue sur scène, hier soir.

– Oh ! C'est vrai, quelle horreur ! Mais le théâtre n'est pas mon métier non plus.

– Alors, vous faites du cinéma ?

– Ni cinéma, ni théâtre. Non. Je suis comédienne de rêves.

– Ah ! C'est intéressant ! En quoi est-ce que ça consiste ?

– Eh bien, comme le nom l'indique : je joue dans les rêves des gens.

– Comment est-ce possible ?

– Mais de façon tout à fait naturelle ! Le monde des rêves est aussi réel que celui de la vie éveillée. Nc le saviez-vous pas, Monsieur Locke ?

– Vous voulez dire qu'il est aussi matériel, aussi palpable ?

– Bien entendu. Peut-être même davantage. Vos questions sont étranges ! Le monde des rêves ressemble d'ailleurs beaucoup à l'autre. C'est son double exact, son jumeau. Il y a des personnages, des objets, des paroles, des peurs, des plaisirs, des drames. Mais tout y est infiniment plus violent.

– Les rêves érotiques ?

– Tous les vrais rêves sont érotiques. C'est ça qui est passionnant pour les comédiens.

– Le métier doit être difficile ?

– Cela s'apprend. Il y a des écoles, des concours, des diplômes. Et les non-professionnels sont vite éliminés.

– Qu'est-ce qu'on enseigne dans ces écoles ?

– Des tas de choses : l'expression corporelle, le travail de la voix, la narratologie, la psychanalyse, le droit pénal, la peinture orientaliste, le principe de causalité, la contradiction comme moteur de l'histoire...

– Pourquoi le droit pénal ?

– Nous devons savoir exactement ce qui est légal et ce qui ne l'est pas, ainsi que les peines encourues. Les rêves sont étroitement surveillés par la police. Vous savez, par exemple, que ceux qui mettent en jeu des mineurs, garçonnets ou adolescentes impubères, sont strictement interdits. C'est d'ailleurs dommage. Je connais une ravissante petite fille qui voulait jouer dans un rêve sado-lesbien à gros budget. L'auteur était d'accord, les avocats aussi. Mais le producteur s'est montré intraitable, invoquant sa responsabilité morale, la protection de l'enfance, les risques sanitaires, je ne sais quoi encore... La morale ! Il s'en battait l'œil des deux mains. (Elle esquisse le geste, mais d'une seule main !) Il avait peur pour ses sous, tout simplement. Je trouve ça scandaleux ! Et vous ?

– Oui, bien sûr ! Mais le meurtre est autorisé ?

– Fort heureusement ! Y compris le meurtre aggravé avec séquestration et tortures. Il ne manquerait plus que ça qu'on nous l'interdise aussi ! Remarquez : ils ont essayé, il y a quelques années : un gouvernement bien-pensant, en période électorale... Ça a fait un beau tollé dans la profession !

Mais, sous la menace d'une grève générale avec occupation de l'inconscient collectif, les pouvoirs publics ont reculé. Vous vous rendez compte : aucune personne n'aurait plus été en mesure de rêver quoi que ce soit ! Les médecins disaient que les gens allaient mourir en masse. Sans compter que les riches auraient délocalisé leurs rêves dans les paradis oniriques qui prospèrent au Moyen-Orient ou dans les Bahamas... Pour ne pas perdre la face, le gouvernement a décidé que les rêves trop coûteux ne seraient plus remboursés à 100 % par la Sécurité sociale... Toujours la société à deux vitesses ! Je trouve ça inadmissible ! Pas vous, Monsieur Locke ? »

Hermione, passionnée par son sujet, s'énerve progressivement, parlant de plus en plus fort, comme dans une réunion syndicale. John essaie de la calmer en acquiesçant à ses folies, qui malgré tout l'intéressent :

« Si, si, évidemment !... Mais, dites-moi, ces rêves, vous les inventez donc pour les gens ?

– Pas du tout, voyons ! Le public n'en voudrait pas. Il y a des écrivains spécialisés dans ce type de récits, des onirographes comme ils disent. Ça les nourrit confortablement.

– Qui leur verse les droits d'auteur ?

– La SACD, comme d'habitude, puisque ça fait

partie des droits de représentation mentale. Les comédiens aussi ont leurs organismes officiels de répartition.

– C'est vrai ! Je suis bête !... En confidence, Mademoiselle Hermione, vous avez joué quelquefois dans mes rêves ?

– Mais oui, très souvent. En particulier depuis que vous habitez au Maroc. C'est même pour cette raison que vous m'avez reconnue tout de suite, hier soir, et que vous m'appeliez Leïla. Vous vous souvenez ?... La plante de mon pied nu redressée à la verticale... Vous vous souvenez, John Locke ? »

Ce long dialogue sera très fragmenté au tournage, ce qui facilitera les brusques changements de ton de la comédienne, tour à tour rieuse, passionnée, véhémente, ironique, engagée politiquement, frémissante de colère. Aux cadrages traditionnels (champs, contrechamps, plans d'ensemble, etc.) se mêleront des images rapides de ce que voit John, autour d'eux, pendant ce temps. En effet, il attend Claudine et le photographe, il s'impatiente de leur retard : il scrute les alentours en espérant les voir arriver, l'un ou l'autre, il regarde sa montre, il observe des personnages au comportement incompréhensible, il s'attarde un instant sur quelque jeune femme... Mais les scènes brèves qu'il sélectionne ainsi par sa vision, subjective, deviennent de plus en plus étranges, violentes, irréalistes et bizarrement ignorées des autres spectateurs. Ces scènes pourront avoir – ou non – un rapport direct avec les propos d'Hermione. D'autre part, les effets de rapprochement, ou des angles de vue ne correspondant pas à la position de John à la terrasse, se multiplieront. Enfin, des protagonistes du film se trouveront bientôt mêlés à ces images, sans aucune justification diégétique. A titre d'exemple : un vendeur ambulant propose aux passants de grosses chaînes en acier. Deux filles armées de revolver procèdent au rapt d'un garçon, sans que cela trouble le moindrement les assistants. Belkis contemple avec effroi un charmeur de cobra. Un arracheur de dents a procédé avec tant de maladresse que le pull blanc de sa patiente est inondé de sang. L'aveugle Ferid se promène en frappant le sol de sa canne blanche, tenant Joujou en laisse avec son autre main. Elvira menace dangereusement Anatoli en brandissant le poignard marocain. Un photographe, se baissant brusquement, prend au vol des gros plans de pieds féminins dans la foule...

Après une série de plusieurs vues de ce dernier type, on retrouve John à la terrasse du café. Hermione a disparu et c'est Claudine qui, debout, le secoue pour le réveiller. Il s'était endormi sur sa table. Elle dit, pressée :

« Excusez-moi, je suis un peu en retard. On doit prendre le photographe en route. Vous êtes fatigué ?

– Oui, un peu, ce n'est rien. J'ai seulement très mal dormi, la nuit dernière.

– Vous avez des cauchemars ?

– C'est un bien grand mot. Je fais des rêves comme tout le monde.

– Méfiez-vous. La police vous surveille.

– Oui. Je sais. Ça n'est pas grave.

– Je ne suis pas de votre avis. »

Claudine a baissé la voix pour ses deux dernières répliques, comme si elle craignait des oreilles indiscrètes. Elle paraît nerveuse, ce matin, contrariée, instable. Après un coup d'œil circulaire aux alentours (que cherche-t-elle ?), elle ajoute sur un ton plus normal :

« La voiture nous attend à deux pas d'ici. Mes affaires y sont déjà. »

Et, d'un pas décidé, elle entraîne John, qui, lui, ne s'est muni d'aucun bagage.

Ayant tourné dans une ruelle, il se trouve brusquement devant le Commissaire Mahdi, debout près de sa voiture de police à gyrophare, tels qu'ils étaient à leur première apparition, à Tazert, vus de sa fenêtre par John. Celui-ci a un mouvement instinctif de recul, encore plus justifié après le récent avertissement de Claudine. Mais la jeune fille, au contraire, s'avance résolument vers le policier, qui arbore toujours le même sourire jovial, tandis que Claudine explique bien haut :

« Le Commissaire Mahdi a la gentillesse de nous prêter sa voiture pour le voyage. »

Et Mahdi précise à l'adresse de John :

« Je ne peux malheureusement pas vous conduire moi-même à Essaouira, avec toutes les enquêtes que j'ai en charge, cette investigation complexe et multiforme dont je vous ai d'ailleurs touché deux mots, hier soir. »

Galant, il ouvre la portière avant droite pour Claudine, qui s'installe aussitôt sur le siège, non sans avoir donné au Commissaire un rapide baiser d'adieu au coin de la bouche. L'homme ouvre ensuite la portière arrière droite pour John et, comme ce dernier (qui n'a prononcé aucune parole) semble hésiter à monter, il l'encourage d'un geste aimable, disant :

« Allez-y, cher ami, c'est la mer qui vous

appelle ! », phrase qui doit rappeler, par son intonation et son rythme, celle de Belkis au sujet de la Mort.

Puis, tandis que John s'exécute, Mahdi déclame d'un air à la fois grandiloquent et ironique :

« Oui, grande mer de délire douée..., comme dit votre poète national... Prenez garde au délire de l'océan, Monsieur Locke ! »

Il rit bruyamment et claque la portière avec vigueur.

Sitôt après ce bruit violent, apparaît alors sur l'écran une grosse vague qui éclate, plein cadre, dans une belle gerbe d'écume.

Le plan suivant, pris de l'intérieur de la voiture, montre Claudine et le chauffeur vus de dos par John, peut-être avec une amorce de celui-ci. C'est l'aveugle Ferid qui est au volant (sur la gauche) ; le visage en partie masqué par ses grosses lunettes noires, il se retourne un instant vers John pour lui adresser en silence un salut assez bref, quoique profond et respectueux, qui se termine par sa petite grimace favorite.

Avant qu'il n'ait à nouveau tourné la tête vers le pare-brise, une nouvelle vague, encore plus puissante, déferle en un joyeux panache.

Un autre plan de mer lui succède (monté *cut* ou fondu ?) : sur une plage déserte, à la limite de l'eau, qui est ici tout à fait calme, l'aveugle Ferid avance en tâtant le sable du bout de sa canne blanche.

Troisième grosse vague explosant plein cadre.

Puis, de nouveau sur la plage, devant l'océan tranquille ou peu agité, Gradiva immobile regarde face à la caméra (droit dans l'objectif, ou non ?). Ses voiles vaporeux volent dans le vent autour d'elle. Par un effet de zoom, son image grossit rapidement dans le cadre.

Une quatrième vague du même type coupe ce mouvement.

Nous sommes ensuite dans divers décors de bord de mer qu'il est impossible de préciser avant le repérage à Mogador (que je ne connais pas du tout) : plages, rochers, falaises, citadelle en ruine, etc. S'y déroulent les scènes successives montrant la réalisation des photos de mode annoncées par Claudine, ou bien, quelquefois, seulement les photos en question elles-mêmes. Le photographe est celui qu'on a vu prendre des clichés rapides du pied de jeunes femmes, lors des derniers plans fantasmatiques précédant le « réveil » de John, à la terrasse du café. C'est Anatoli qui assure la mise en scène. Les modèles qui posent sont Claudine, Nina, et Hermione, auxquelles se joint bientôt John en tenue d'artiste 1830. Les costumes changent d'une scène à l'autre. Les attitudes féminines, ainsi que la disposition des personnages dans le cadre, font souvent penser aux peintures de Paul Delvaux. Les comportements du photographe et d'Anatoli ont une sorte de raideur « kafkaïenne ». Dans les plans où figure John (grimé ?), on devrait reconnaître Eugène Delacroix dans l'exercice de son travail : esquissant des croquis sur le vif, ou peignant sur une toile que supporte un chevalet à l'ancienne mode. On voit aussi John-Delacroix arrangeant lui-même la posture que doit prendre Hermione-Gradiva, et même : Anatoli et le photographe réglant la posture de John en train de corriger celle de Gradiva. Tout cela se passe pratiquement sans dialogue et « comme dans un rêve » (doit-on aller, selon ce stéréotype, jusqu'à ralentir légèrement les gestes et déplacements, de manière à les déréaliser encore plus ?).

Le dernier lieu utilisé comme décor, pour cette séance de photographie, devrait être un cimetière en bordure de mer. Près de l'entrée du cimetière, il y a un mendiant assis sur une tombe. Et, bien entendu, il s'agit de Ferid. En l'apercevant, John dit en aparté à Claudine :

« Cet aveugle, qui tend sa sébille, n'est-ce pas notre chauffeur ?

– Mais oui, comme vous voyez, répond Claudine avec naturel. Puisqu'il n'a rien à faire entre nos déplacements d'un décor à l'autre, il en profite pour exercer son métier de mendiant. C'est bien normal.

– Vous dites : son métier de mendiant ? Il est pourtant le chauffeur du Commissaire de police ?

– Pourquoi serait-ce incompatible ? De même que les prostituées, tous les mendiants travaillent pour la police. Ne le saviez-vous pas, John Locke ? »

Cette dernière réplique doit être prononcée d'une façon très appuyée, même un peu inquiétante. Anatoli, qui pénètre à son tour dans le cimetière, dépose une pièce dans la sébille, en passant, sans même accorder un regard à l'aveugle. Ensuite, tandis qu'Anatoli et le photographe règlent une mise en scène où ne figurent qu'Hermione et Nina, Claudine entraîne John (qui a conservé son costume 1830) vers cette tombe de Gradiva dont elle lui avait parlé, lors de leur première rencontre au café. Mais elle ne fait aujourd'hui aucun commentaire. Sur une dalle assez rudimentaire, se trouve gravée l'inscription en français : « En souvenir d'un crime impuni. Gradiva rediviva 1806-1832 ». Claudine s'éloigne pour rejoindre le groupe. John demeure là, immobile, plongé dans ses réflexions.

Pendant cette longue méditation silencieuse, au cours de laquelle on entend, *off* et lointains, des lambeaux du chant andalou de Leïla apportés par le vent, la lumière change, devenant crépusculaire avec une rapidité peu réaliste. Quand John, ayant sans doute entendu un bruit de pas sur le gravier, relève enfin sa tête demeurée penchée vers l'inscription funéraire, il aperçoit le Commissaire Mahdi qui s'approche, avec cette fois une figure inquiète, sombre, préoccupée, disant :

« Ah ! Vous êtes donc là ! On vous cherche partout depuis une bonne heure ! Tout le monde est déjà parti pour l'hôtel.

– Mais, vous-même, Commissaire, je vous croyais à Marrakech ?

– En fin de compte, les hasards de mon enquête m'ont ramené vers vous plus tôt que prévu. Je dois, moi aussi, passer la nuit à Essaouira.

– Avec nous ? Pour quelles raisons particulières ?

– Le hasard, vous dis-je !

– Oui... Bien sûr... Le hasard objectif...

– Bon ! Allons-y maintenant ! Nous devons rejoindre les autres pour le dîner. »

Mahdi entraîne John vers la route, où les attend le faux taxi rouge, sans chauffeur. Le Commissaire se met au volant, tandis que John, par habitude, monte à l'arrière. L'auto démarre.

La voiture rouge s'arrête devant l'hôtel. C'est une bâtisse assez importante à l'architecture baroque et surchargée, mais dans le genre sinistre. Rien, d'ailleurs, n'indique extérieurement qu'il s'agisse là d'un hôtel. John et son guide, descendus de voiture, considèrent un instant la façade éclairée par des projecteurs fort « expressionnistes », dans la nuit tout à fait noire à présent. Mahdi, qui a claqué sa porte bruyamment, contourne l'auto pour rejoindre John et, retrouvant soudain toute sa jovialité un peu forcée, s'exclame :

« Ça ne donne pas sur l'océan, comme vous voyez. C'est peut-être mieux pour vous ! »

Puis, avec un rire exagéré, il donne à John une grande tape cordiale dans le dos, qui fait changer le plan.

Toute la bande est réunie à table pour le dîner : Anatoli, Claudine, Nina, Hermione, le photographe, l'aveugle, ainsi que John, assis à droite du Commissaire, qui lui donne sur l'épaule une nouvelle claque de connivence joyeuse (arrivés les derniers, ils sont l'un à côté de l'autre en bout de table). Les rires redoublent dans la compagnie. Il semble qu'on soit à la fin d'un repas copieusement arrosé.

John se lève, à peine un peu titubant. Lui, qui ne rit pas du tout, a conservé son visage perdu dans quelque secrète rêverie. Les autres, soudain silencieux, le regardent quitter la table et sortir. Dans ce plan comme dans le suivant, John a retrouvé le costume de ville dans lequel il avait quitté Marrakech avec Claudine.

Il erre à travers des vestibules et couloirs obscurs, en se récitant de façon décousue deux strophes du « Cimetière marin », depuis « Oui grande mer de délire douée... » jusqu'à « Dans un tumulte au silence pareil. » Ou bien, peut-être, ces six vers sont-ils déclamés en voix *off* alternées par les six convives demeurés à table, avec des intonations dramatiques outrancières, soulignées par des rires et des cris variés, clownesques, assez effrayants.

Ensuite, on revoit John, de nouveau grimé et costumé en Delacroix, s'avançant le long d'un interminable corridor d'hôtel, rectiligne, éclairé par des appliques murales régulièrement espacées. Y-a-t-il aussi de grands miroirs qui lui renvoient son image (sans gêner la caméra) ? Sans doute cherche-t-il sa chambre, car il tient une clef à la main, une grosse clef à l'ancienne mode portant, bien apparent sur une plaquette porte-clef, le numéro 12. Une fois de plus sans doute, John consulte du regard ce chiffre manuscrit sur la plaquette de bois et il prononce à mi-voix :

« Chambre douze ».

Continuant son avancée dans le couloir, il articule ensuite à voix haute les numéros en passant devant les portes correspondantes :

« Sept, huit, neuf, dix, onze, treize... »

Il revient en arrière et constate qu'il n'y a pas de chambre 12. Il considère sa clef à nouveau, perplexe. Devant la porte 13, il demeure en arrêt un instant face au gros chiffre indubitable, assez semblable en fait à celui qui marquait la chambre 13, au Triangle d'Or. Il se décide à essayer sa clef dans la serrure. En vain, naturellement. Mais, comme il s'obstine à manœuvrer la tige de fer dans l'entrée inadéquate, la porte s'entrouvre avec douceur et Hermione, souriante, apparaît dans l'entrebâillement :

« Entrez, John, dit-elle, je vous attendais. (John est visiblement interloqué.)

– Non, non, excusez-moi... C'est une erreur ! Je ne trouve pas la porte de ma chambre. Mais je ne cherchais pas à forcer la serrure de la chambre voisine... D'ailleurs, j'ignorais que celle-ci fût la vôtre...

– Ne vous troublez pas. Tout se déroule comme prévu. Entrez donc, puisque vous ne pouvez faire autrement ! »

John se risque à l'intérieur de la pièce, peu éclairée mais d'une manière très élaborée, dirigeant vers le grand lit à colonnes un faisceau de clarté rousse. Le spectateur reconnaît aussitôt le décor de la chambre 13, au Triangle d'Or. Hermione, bien que souriante, est du reste dans la robe de nuit vaporeuse à pans flottants que portait Leïla morte. Pour dire quelque chose, John risque une allusion au métier dont la jeune femme lui a parlé, à la terrasse du café :

« Vous ne travaillez pas ce soir ?

– Ah, non ! La séance de photos est terminée, Dieu merci !

– Je ne parlais pas de ça, mais de votre étrange

métier : comédienne de rêve. Cela doit être surtout un travail nocturne, j'imagine ?

– Pas uniquement. Mais, cette nuit justement, oui, je travaille, c'est-à-dire que je joue... en ce moment même.

– Que voulez-vous dire ?

– Vous êtes en train de dormir, John, dans la chambre 12, et j'incarne un personnage du rêve où vous vous aventurez innocemment. J'en suis même l'incontestable héroïne.

– C'est absurde, voyons ! Je cherche ma chambre. Je ne suis pas du tout en train de rêver... Ou alors prouvez-le-moi !

– Regardez donc votre costume ! Vous rêvez que vous êtes Eugène Delacroix, à la recherche d'une de ces aventures féminines dont il était friand. Et cette aventure, c'est précisément moi... Mais elle tourne mal, méfiez-vous ! (La jeune femme rit de façon très détendue.)

– Ah, bon ! Si c'est une plaisanterie... Mais j'ai sommeil et je dois m'en retourner...

– Mais non, John, ça n'est pas une plaisanterie. D'ailleurs il n'y a pas de chambre 12 dans cet hôtel, qui appartient à l'univers parallèle de nos rêves. Dans le « vrai » hôtel, celui de la vie éveillée, où nous nous sommes tous installés hier soir, c'est la chambre 13 évidemment qui manque, comme dans tous les établissements fréquentés par des touristes américains superstitieux. Vous avez en outre remarqué en arrivant, et déploré, que l'hôtel où vous dormez ne donne pas sur la mer, contrairement à celui-ci ! (Elle se dirige vers les rideaux rouges fermés, qui ressemblent à ceux du petit théâtre.)

– Sans doute votre chambre est-elle située de l'autre côté.

– C'est bien ce que je vous explique : nous sommes ici de l'autre côté du monde réel... »

Hermione ouvre d'un coup les rideaux rouges. Une énorme vague, identique à celles que nous avons vues en introduction à la séquence de photos à Essaouira (mais sous un éclairage nocturne, des projecteurs probablement), envahit l'écran en un déferlement spectaculaire.

Cette vague laissant, comme de façon « naturelle » (les panaches d'eau qui retombent), la place à une nouvelle image, on voit alors, en plan rapproché et sans doute en nuit américaine (qui durera sur tous les plans suivants, jusqu'au cimetière inclus), un magnifique cheval blanc qui se cabre sur fond de mer, en bordure de plage. Il est monté par John dans son costume « Delacroix » de la scène précédente.

C'est ensuite la même plage en plan large. John-Delacroix, vu à présent de dos (il s'agit ici, en fait, d'une doublure), s'éloigne en galopant au bord de l'océan maintenant apaisé, soulevant des gerbes d'écume lorsque la couche d'eau est, par endroit, plus profonde. Il passe ainsi devant un homme immobile qui regarde vers le large, debout sur le sable sec. On va voir sans ambiguïté au plan suivant que cet homme est John Locke, dans le costume qu'il portait au départ de Marrakech, mais sans sa veste, comme s'il avait commencé à se déshabiller pour se mettre au lit (dans la chambre 12). Son ample chemise blanche à col ouvert frémit dans le vent, d'une façon très romantique. Il est important que le spectateur puisse reconnaître sans mal à leurs habits les deux personnages (John-Locke et John-Delacroix) et cela jusqu'à la fin de la séquence, dans le cimetière.

John-Locke regarde passer, puis prendre de la distance sur son cheval blanc à la crinière échevelée, John-Delacroix (doublure) qui chante à pleine voix dans les embruns l'air andalou aux accents sauvages que lui a appris Leïla. (La voix devra sans doute être doublée par un professionnel de ce chant.) Il semble que John constate ici sans s'étonner qu'il a lui aussi un double, comme Hermione et sa prétendue sœur jumelle. La caméra reste sur John-Locke, qui se met à marcher, juste à la limite des petites vagues, suivant de loin, rêveur et sans hâte, le cheval blanc monté par ce double qui galope devant lui.

John entend, derrière son dos, une voix de femme qui appelle dans une sorte de mélopée :

« Eugénio !... Eugénio... ! »

Il se retourne et voit arriver vers lui, longeant la mer, Leïla dans le même costume vaporeux et flottant que portait Hermione lors de la scène précédente. Peut-être court-elle après le destrier de son amant, mais c'est d'un pas gracieux et léger qui ressemble beaucoup plus à une danse qu'à une épreuve de vitesse. Elle paraît ne pas voir John-Locke, qui s'écarte un peu pour lui laisser le passage et dirige alors son regard vers les pieds nus de la jeune femme.

Gros plan d'un pied qui reproduit, dans un joli ralenti artistique, le mouvement très particulier appartenant à la Gradiva antique comme à celle de Delacroix.

John laisse Leïla s'éloigner sans chercher à la poursuivre.

Il fait trois pas très lents vers l'eau, mais, dans un raccord elliptique au cours de son avancée rêveuse, il arrive aussitôt à l'entrée du cimetière, où le faux aveugle Ferid se trouve assis exactement dans la même position que la première fois. Quand John passe à sa portée, Ferid lui tend le poignard marocain dans son étui de cuir, disant d'une voix sourde :

« Vous n'êtes pas armé, j'imagine ? Prenez donc ceci, en guise au moins de talisman. Cet endroit, la nuit, est mal fréquenté, Monsieur Locke. »

Mais John fait mine de refuser :

« Je me méfie des chauffeurs aveugles, et redoute leurs présents !

– Il ne s'agit pas d'un présent, Monsieur Locke. Le poignard vous appartient. Vous avez oublié cet objet compromettant dans un taxi rouge, il y a peu de jours, souvenez-vous ! »

Avec des gestes lents de somnambule, John prend le poignard, le retire de son fourreau et en considère un moment la lame, étincelante sous la lune. Puis il dépose une pièce de monnaie dans la sébille du mendiant aveugle et s'avance entre les tombes, l'arme nue à la main et pointée vers l'avant, comme si elle guidait sa route.

Il arrive bientôt à la dalle funéraire de Gradiva. Leïla, assise de profil sur la pierre, dans le costume léger où l'on vient de la voir danser au bord de l'eau, n'a pas l'air de le voir. Elle fredonne, très bas, le chant andalou, que reprend fortissimo, mais en second plan sonore, la voix grave de John-Delacroix. Et voilà que celui-ci entre en scène par le fond. Il est à pied maintenant, quoique portant le même costume de cavalier, et ressemble dans sa démarche théâtrale à un chanteur d'opéra. Jetant des regards soupçonneux vers la droite et la gauche, mais aveugle apparemment à la présence de John-Locke (doublure, vue de dos en avant-plan par le spectateur du film), il rejoint Leïla en quelques rapides enjambées. Elle s'est levée à son approche et, comme saisie d'effroi à l'idée que des sbires postés entre les tombes pourraient épier leur rendez-vous clandestin, elle lui adresse des signaux angoissés l'incitant à la prudence, ou même au renoncement. Mais John-Delacroix n'en a cure et s'empare de la jeune femme (qui se débat en cherchant à s'écarter de lui) pour l'étreindre avec passion.

John-Locke bondit alors jusqu'au couple enlacé. Fou de jalousie en constatant le triomphe de son rival, ou bien cherchant à protéger Leïla de ce qui ressemble aussi à une agression, il frappe son propre double avec le poignard...

Mais c'est un cri de femme qui déchire la nuit... John-Delacroix a disparu (comme un fantôme) et c'est Leïla elle-même qui s'écroule sur le sol, le sein transpercé par la lame fatale. Silence. Elle semble être morte sur le coup, frappée au cœur, tandis que John Locke en chemise blanche au col largement ouvert, demeure immobile, hébété, contemplant alternativement le poignard à la lame rougie qu'il tient en main et le corps qui gît sur le sol dans une flaque de sang. D'abord à peine audible, un concert de grillons nocturnes s'amplifie progressivement de façon rapide. Dès que, devenu strident et agressif, il atteint un niveau sonore insupportable, il s'arrête d'un seul coup et le plan change.

Dans le silence revenu, on retrouve John (montage *cut*) toujours figé dans la même posture et portant le même costume, devant le corps sans vie d'Hermione, exactement identique à celui de Leïla au plan précédent. Mais le décor a changé. C'est maintenant une chambre de l'hôtel d'Essaouira, et l'on reconnaît d'abord celle dans laquelle Hermione a reçu John-Delacroix, avec son lit d'apparat et ses rideaux rouges masquant les fenêtres donnant sur la mer. Une série d'hommes vêtus de noir font l'un après l'autre leur apparition, surgis de tous les côtés (y compris de derrière les rideaux) : Anatoli, Mahdi arborant son visage le plus fermé, Ferid avec ses lunettes noires et sa canne blanche, le photographe tenant son gros appareil portatif, deux gardes du Triangle d'Or. Tous se figent, immobiles et impénétrables, cernant l'assassin de tous les côtés, mais à une distance de plusieurs mètres.

Ensuite, dans un montage assez rapide, le décor se transforme encore de plan en plan, pour devenir à la fin une chambre très nue d'hôtel moderne, dans le style clinique aseptisée, où cependant les six hommes en noir conservent leur place et leur attitude. Et il n'y a plus de cadavre sur le plancher (qui est blanc comme les murs de la pièce). John, lui aussi, demeure dans la même posture et le même costume, brandissant toujours le poignard qui vient de frapper (un fantôme ?), mais dont la lame est maintenant dépourvue de la moindre trace de sang. Sur un signe du Commissaire, le photographe va occuper un meilleur point de vue pour prendre un cliché sur le vif de ce meurtrier sans victime. Puis Anatoli s'approche de John, lui abaisse le bras, s'empare de son arme avec douceur, écoute ses pulsations cardiaques à l'aide d'un stéthoscope. Toute la scène, qui se présente comme retour au réel après un cauchemar, est en fait largement aussi irréaliste que ce qui l'a précédé, peut-être même encore plus à cause du décor blanc et vide, très abstrait. L'unique meuble est un lit blanc d'hôpital, non défait et où visiblement personne ne s'est couché, sur lequel, vu en plan rapproché, se termine la séquence. Après son examen sommaire, l'antiquaire-médecin a seulement dit, sur un ton docte de psychiatre compétent :

« Je ne crois pas que cet homme soit dangereux. Vous pouvez le laisser partir. »

Par l'intermédiaire d'un gros plan de Belkis, visage baissé, qui paraît donc contempler le lit d'hôpital dans la chambre 12 abstraite, on passe en contrechamp à ce qu'en fait elle regarde : le grand lit à deux places (qui n'a pas, lui non plus, été utilisé cette nuit) dans la chambre de John à Tazert. Il fait nuit. Un clair de lune très lumineux projette ses rayons, par la fenêtre grande ouverte, vers la partie de la pièce où se tient la servante. On entend le pas d'un cheval, né dans le lointain, qui se rapproche à une vitesse tout à fait excessive, doublé bientôt par le galop d'un second cavalier. L'intensité sonore de ces bruits crépitants s'amplifie rapidement jusqu'à devenir effroyable, dans un effet identique à celui qui terminait la dernière scène au cimetière. Et, de même, Belkis demeure immobile comme si elle n'entendait rien. Quand le son atteint un insupportable paroxysme, il est coupé net tandis que le plan change.

La séquence qui suit représente un nouveau « retour à la réalité », mais beaucoup plus crédible que les précédents. Nous sommes à présent dans la salle de spectacle du Triangle d'Or. Les personnages visibles sont rigoureusement les mêmes (et dans les mêmes costumes) que ceux qui figuraient dans la chambre blanche, avant la brève image de Belkis à Tazert. Leur disposition sur l'écran devra aussi reproduire autant que possible la première. Il doit être très tard dans la nuit, car il n'y a plus aucun client assis aux tables des spectateurs. Sur la scène du théâtre, dont les rideaux rouges sont restés ouverts, on voit le décor blanc de la chambre d'hôtel du type clinique aseptisée, avec un détail qui diffère : sur la paroi du fond se trouve peint en trompe-l'œil, dans un style très magrittien, une fenêtre donnant sur la mer et encadrée des mêmes rideaux rouges ; juste contre les pseudo-vitres, il y a une énorme vague immobilisée en plein déferlement. Dans la salle, moins éclairée que la scène, on sent qu'il vient de se passer quelque événement dramatique, sans doute une crise hallucinatoire de John. Celui-ci, que le Docteur Anatoli vient de désarmer et d'ausculter rapidement avec son stéthoscope, se rassoit comme au ralenti sur son siège, devant sa table où une consommation a été renversée : un liquide vermeil, d'aspect sirupeux, forme un joli dessin sinueux sur le marbre blanc, entre les débris du verre cassé. Et, par terre, il y a une flaque du même rouge qui pourrait aussi bien être du sang.

Claudine et Madame Elvira font leur entrée, l'aveugle sort en s'aidant de sa canne blanche, le photographe range son appareil, les gardes noirs referment les rideaux de scène après avoir éteint les feux de la rampe, tandis qu'une lumière plus marquée revient dans la salle. Tous les gestes et déplacements sont empreints d'une tranquille lenteur, apparente du moins, car on a l'impression que cette volonté de calme dissimule quelque chose. Aucune parole audible n'est échangée ; mais plusieurs personnages, en se croisant, semblent se murmurer quelques mots à l'oreille. Anatoli, en particulier, veut – dirait-on – convaincre le Commissaire de se prêter à quelque arrangement louche. Claudine et Anatoli ont un aparté assez long, bien à l'écart. Puis, Anatoli semble donner des instructions au photographe. Madame Elvira utilise sa sonnette au timbre impératif pour appeler un domestique. Djamila arrive aussitôt (dans quelle tenue ?) et Elvira lui donne un ordre bref en désignant la table souillée de John ainsi que la petite mare sur le sol, juste à côté. Djamila se met bientôt à genoux près de cette flaque rouge qu'elle éponge à l'aide d'une serpillière à l'ancienne mode et d'un seau d'eau. Toute la scène, bien qu'assez énigmatique et plutôt inquiétante, doit être marquée par une sorte de réalisme ordinaire, routinier, surtout si on la compare à tous les fantasmes qui se sont succédé depuis le départ vers Essaouira.

Djamila s'interrompt dans son travail pour lever le visage en direction de John, assis raide et sans expression, son regard absent abaissé vers la table, qu'occupent entièrement les fragments du verre cassé et le liquide rouge répandu qui ressemble fort au sirop contre les douleurs dentaires du Docteur Anatoli. La scène est coupée sur un plan rapproché de John, vu par Djamila en contre-plongée : visage à la fois fermé, auguste et cadavérique.

On retrouve alors Belkis, debout devant le grand lit non défait qu'elle contemple, dans la chambre à coucher de Tazert. La lumière nocturne est restée la même, avec les rayons de lune entrant par la fenêtre ouverte. Mais une discrète lampe de chevet a été allumée, sur une petite table basse à la tête du lit, du côté ou John dormait habituellement. Pourtant, la position de la jeune fille n'a pas changé d'un pouce. Dans le silence, un bruit extérieur la tire brusquement de son immobilité : c'est le pas d'un cheval qui gravit la ruelle. Belkis se précipite vers la fenêtre, prise sans doute d'un soudain espoir... Mais non, il ne s'agit pas du cheval de son maître, dont elle attend en vain le retour depuis plus de vingt-quatre heures. C'est une jument blanche qui monte la pente ; un enfant marocain la tient par la bride.

Belkis, déçue, s'éloigne de la fenêtre à pas indécis et sort de la chambre.

Djamila quitte la salle de spectacle du Triangle d'Or après avoir fini sa corvée de nettoyage. Avant de sortir, elle jette un regard en arrière vers John, qui n'a modifié en rien sa posture, immobile comme une statue, assis devant sa table à présent lavée de frais, solitaire dans le grand café-théâtre désormais vide.

Belkis désemparée, erre à travers la grande maison vide, et s'attarde dans la pièce de travail où se tenait toujours John. Par désœuvrement, elle furète au hasard, de droite et de gauche. Quelques faibles ampoules électriques sont allumées çà et là, créant d'étroites zones de lumière au milieu des zones d'ombre. La servante regarde un gros réveil à l'ancienne mode qui marque 3 heures (du matin évidemment). La bande sonore doit-elle insister lourdement sur le tic-tac du temps qui passe ?

Madame Elvira vient chercher John, toujours assis devant sa table dans la salle déserte. Elle le secoue légèrement pour le sortir de sa léthargie. Il se lève et la suit avec une lenteur mécanique de somnambule. Il jette néanmoins un regard en arrière vers la pièce qu'il vient de quitter (le lieu du crime ?) et le plan est coupé sur ce mouvement.

Belkis ouvre un tiroir, qu'elle fouille machinalement. Elle y trouve une vieille photographie écornée, représentation de la Gradiva reproduite au format de poche. L'image a visiblement été contemplée (et transportée) à de multiples reprises. Puis, du fond de ce même tiroir, Belkis ramène vers elle un objet pesant dont elle a senti la présence. C'est un revolver à barillet, qu'elle inspecte avec un certain intérêt. Sans faire tourner le barillet, la jeune fille en examine les trous dans la lumière pour voir s'il y a des balles. Puis elle remet l'arme en place, sans refermer le tiroir.

Madame Elvira conduit John dans les couloirs labyrinthiques du Triangle d'Or. Il s'inquiète bientôt :

« Mais où me conduisez-vous ? La sortie n'est pas de ce côté.

– Vous avez grand besoin de repos, Monsieur Locke.

– Je me reposerai chez moi.

– Vous n'êtes pas en état de faire la route à cheval, et nous n'avons ici aucune voiture disponible.

– Je prendrai un taxi.

– Méfiez-vous des taxis, Monsieur Locke ! Surtout de ceux que vous trouveriez à cette heure-là... Heureusement, l'une de nos chambres est disponible. (Elvira montre la clef qu'elle tient en main, et, en passant devant les portes successives, elle en énumère à haute voix les numéros bien visibles :)... Seize... Quinze... Quatorze... Il n'y a pas de chambre Treize, évidemment : la clientèle est superstitieuse... Et voici donc la Douze, qui est libre. »

Tandis que Madame Elvira fait tourner la clef dans la serrure, John fixe le gros chiffre 12 au milieu du panneau, sur quoi le plan est coupé.

Belkis feuillette distraitement un gros livre sur la peinture orientaliste. On choisira si possible un ouvrage comportant des illustrations évoquant diverses morts violentes, d'hommes ou de femmes.

John et Elvira sont entrés dans la chambre 12, absolument identique à la « chambre de clinique » d'Essaouira dans son état nu, c'est-à-dire sans la fausse fenêtre peinte au mur.

« On se croirait dans un hôpital psychiatrique, remarque John.

– Nous avons des appartements pour tous les goûts, souvent bizarres, de nos clients... Le Docteur Anatoli, en outre, est lui-même psychiatre... Je vous laisse. Il y a un pyjama sur le lit, et divers fruits dans une coupe. Fermez la porte à clef, mangez quelques dattes et dormez tranquille. »

Elvira pose la clef sur un meuble et sort. John, sans suivre ses recommandations, s'allonge tout habillé en travers du lit, couché sur le dos et les yeux au plafond.

Belkis met en marche un vieil électrophone, sur lequel un disque était déjà posé. On entend quelques mesures de « Madame Butterfly », un passage bien reconnaissable, à n'importe quel moment de cet opéra. Belkis joue avec le bras de l'appareil : en arrière, en avant, change la vitesse de rotation du disque, etc. Elle écoute deux fois de suite le même passage nostalgique et sentimental.

John dort sur son lit, les yeux fermés mais toujours habillé et dans la même posture que précédemment. Sur la paroi nue, face à la caméra, est apparue la fausse fenêtre à la Magritte avec la mer qui déferle derrière les vitres en trompe-l'œil.

Toujours dans la pièce de travail de John, à Tazert, Belkis met en marche l'appareil à diapositives, une image se projette sur le mur blanc : un portrait de Gradiva par Delacroix. Elle passe vite à l'image suivante : c'est encore la Gradiva, vue de plus près. Belkis fait ainsi défiler, d'une main de plus en plus nerveuse, toute une succession de portraits esquissés, avec des expressions diverses, et toujours de Gradiva. Dans un mouvement impulsif, elle reprend le revolver au fond du tiroir, vise avec soin la figure projetée et appuie sur la détente (si le système comporte une sécurité, elle l'a d'abord déverrouillée)... Pas de projectile, seulement un petit déclic dérisoire. Elle tire une seconde fois... Toujours le même déclic à vide. Mais, au troisième coup, il y a bel et bien une balle et la percussion explose avec un bruit violent qui effraie la jeune fille. Elle remet précipitamment l'arme dans le tiroir. Sur la projection murale, le visage de Gradiva est mangé en son centre par un trou noirâtre, un large éclat de l'enduit à la chaux ayant sauté au point d'impact.

Comme déclenché par le coup de feu, on entend (venant de la fenêtre ?) un soudain tintamarre de mouettes qui criaillent dans le vent. Belkis éteint le projecteur et le plan change.

Mais, dans la chambre clinique du Triangle d'Or, ce même fond sonore océanique est au moins aussi présent, atteignant bientôt un paroxysme assourdissant, tandis que des paquets de mer déferlent avec fracas contre les fausses vitres (le mode de truquage utilisé pour l'image reste à décider). John se réveille en sursaut et se dresse sur son séant. La fenêtre magrittienne a disparu d'un seul coup, alors que les cris de mouettes ne s'apaisent que progressivement. John se met debout et va jusqu'à la porte, dans l'intention sans doute de la verrouiller ; mais, au moment de tourner la clef dans la serrure, il change d'avis et, au contraire, il ouvre la porte et sort dans le couloir. Est-ce pour comprendre d'où venaient les bruits qui l'ont réveillé ? Il va d'un côté et trouve la porte marquée 11. Il retourne dans l'autre direction, passe devant la chambre 12 et continue jusqu'à la suivante, qui porte le chiffre 13 bien apparent, exactement semblable à celui de sa première visite au Triangle d'Or. La porte n'est pas close.

John pousse le battant et pénètre dans le vestibule déjà connu de lui, avec la glace, la corbeille de fruits et les deux portes intérieures symétriques, qui sont chacune légèrement entrebâillées, laissant voir une raie verticale de lumière. Avec précaution, il ouvre un peu plus celle de la chambre droite, où il avait brièvement dormi la première fois. Madame Elvira est là, assise en face d'un client nécrophile qui attend que sa proie soit prête et qui dit :

« Vous pouvez ainsi me garantir qu'elle n'est pas morte de maladie, ou de misère ?

– Je vous répète qu'elle a été assassinée par un fou, ce soir même et sous mes yeux, d'un coup de poignard dans le sein gauche qui lui a transpercé le cœur. Vous verrez la blessure toute fraîche, et l'arme du crime.

– Bien. Quel est son prénom, pour que je puisse l'injurier ?

– Elle s'appelait Hermione. C'était l'une de nos meilleures actrices, que vous avez souvent admirée sur la scène. »

Un des personnages ayant changé de position sur son siège, John a peur d'être découvert et se retire prestement en arrière. Mais il ne peut s'empêcher de pousser la porte de gauche, celle où il avait vu Leïla mourante.

Cette fois, sans se gêner, il en ouvre le battant très largement. Le corps d'Hermione morte repose sur le lit, entouré de cierges allumés. Anatoli, penché sur son visage, est en train de faire un dernier raccord au fard des lèvres disjointes. La jeune femme est seulement vêtue de voiles transparents et légers qu'on lui a vus à plusieurs reprises dans le film. La large marque rouge de sa blessure à la poitrine est bien visible, du côté gauche, et le poignard ensanglanté a été posé sur le drap de satin, juste à côté. Anatoli relève le visage vers l'embrasure béante de la porte, reconnaît John et dit, sans s'interrompre dans son travail macabre :

« Allez vous coucher, Monsieur Locke ! On vous rendra votre poignard demain matin. Nous en avons encore besoin cette nuit ! »

Le Docteur a un rire sardonique, long mais partiellement muet, tout à fait inquiétant. Il a beaucoup plus l'air d'un fou que d'un psychiatre.

John s'enfuit à toutes jambes dans un interminable couloir.

Belkis écoute encore une fois, mais plus longuement, le même passage de Puccini, probablement la mélodie triste et naïve qui précède le suicide de Butterfly. Le gros réveil marque sept heures. Le jour commence tout juste à poindre. Belkis, qui était penchée vers l'électrophone, se redresse à la fin de l'aria célèbre, comme si elle venait de prendre une décision.

John, sur son cheval bai, rentre au petit trot vers sa demeure. Il est visiblement soucieux, et même angoissé. Comme il arrive à la ruelle déserte qui mène chez lui, un coup de feu relativement proche (un pistolet ou quelque chose du même genre) claque dans l'air calme du petit matin. Le cavalier dresse l'oreille, mais n'attache pas une importance excessive à cette détonation.

La grande porte de la maison n'est pas fermée à clef. John entre et appelle « Belkis ! », pour que la servante s'occupe du cheval. Pas de réponse. Du premier étage provient une musique connue : la scène finale de « Madame Butterfly ». John, d'un pas plus vif, monte vers son bureau ; il y entre juste au moment où l'opéra s'achève, et le tourne-disque s'arrête avec un déclic. Sur le mur blanc, John remarque aussitôt le gros point d'impact sombre laissé par la balle du revolver. Il appuie sur la touche qui rallume le projecteur à diapositives. Le visage de Gradiva apparaît juste à cet endroit du mur. Se demandant si quelque visiteur malintentionné ne s'est pas introduit dans la maison, John veut se munir de son arme... Le tiroir n'a pas été refermé et le revolver ne s'y trouve plus.

Dans la chambre à coucher, John découvre Belkis gisant en travers du grand lit, étendue sur le dos, calme et blême, morte selon toute évidence. Elle a encore le revolver dans la main droite, dont les doigts se sont seulement relâchés. Elle s'est tiré une balle à bout portant dans le cœur. Accablé par ce suicide dont il se sent responsable, John s'assoit sur le bord du lit et, les coudes sur les genoux, se prend la tête entre les deux mains.

Arrivant par la fenêtre ouverte, le chant andalou maudit reprend dans le lointain. Pendant une pause de la mélodie sauvage et désespérée, la voix *off* de Belkis, toute proche, intime, venue du souvenir, murmure avec douceur :

« C'est la mort, Monsieur, qui vous appelle. »

Le spectateur doit voir nettement que les lèvres de la jeune fille sont restées closes et qu'il s'agit donc d'une voix fantôme. Le chant andalou s'éloigne ensuite, pour disparaître bientôt tout à fait.

John se relève avec lenteur, fait deux ou trois pas indécis, regarde Belkis longuement, se penche sur elle et soulève le corps menu sur ses deux bras, pour l'emporter on ne sait où, peut-être seulement pour la bercer comme une enfant. Il murmure :

« Pourquoi, petite Belkis, pourquoi as-tu fait ça ? »

Et c'est la même voix *off* du souvenir qui lui répond :

« Je ne sais pas, Monsieur. »

John est alors arrivé, avec son frêle fardeau dans les bras, à la salle de travail où le projecteur est resté allumé. A ce moment, la pellicule surchauffée s'enflamme et l'image projetée de la Gradiva se consume rapidement dans un incendie sans douté exagéré, en gros plan.

L'épilogue se déroule à la terrasse du grand café de Marrakech déjà vu à plusieurs reprises. John est assis à sa table habituelle, solitaire et mélancolique, regardant sans les voir des gens parmi la foule, qui se presse en tous sens. Un aveugle (est-ce vraiment toujours le même ?) essaie de vendre un journal de langue française aux consommateurs européens disséminés sur la terrasse. Il s'approche de John qui, par charité, en achète un exemplaire, auquel il jette un coup d'œil distrait. Mais il y porte plus d'attention en apercevant une publicité pour un dentiste : « Arrachement sans douleur » en grands caractères, au-dessus du dessin schématisé d'une grosse molaire à trois racines, avec naturellement un nom, une adresse, un numéro de téléphone. Tout à côté est relaté un court fait divers à sensation :

« Meurtre au théâtre. Dans une salle de spectacle privée, fréquentée surtout par la clientèle européenne, une jeune actrice a été poignardée la nuit dernière par un maniaque sexuel. La belle Hermione Gradivetski avait, ces dernières années, servi d'assistante particulière à un antiquaire en renom de notre cité. Mais elle venait, semble-t-il, de tomber en disgrâce. Peu après le constat de décès, établi par un docteur présent dans la salle lors de la représentation, le corps de la victime a disparu d'une façon inexplicable. Les soupçons de la police se sont d'abord portés sur un critique d'art, connu sous le pseudonyme transparent d'Eugenio della Croce, qui fréquentait ce club très sélect. Sujet à des crises de délire hallucinatoire, cet orientaliste a cependant été reconnu inoffensif par la faculté. »

Quand John relève les yeux de son journal, il croit apercevoir Leïla, dans un espace un peu dégagé au milieu de l'affluence, avec exactement le même costume vaporeux, la même grâce svelte, ainsi que la démarche caractéristique et dansante, qu'elle avait lors de sa première apparition. Il se lève d'un bond pour essayer de la rejoindre ; mais il la perd bientôt de vue dans la foule, qui est devenue très dense. John néanmoins continue d'avancer péniblement, avec obstination, noyé dans le flot des passants qui le submergent.

FIN

CET OUVRAGE A ÉTÉ ACHEVÉ D'IMPRIMER
LE QUATRE MARS DEUX MILLE DEUX
DANS LES ATELIERS DE NORMANDIE ROTO
IMPRESSION S.A. À LONRAI (61250) (FRANCE)
N° D'ÉDITEUR : 3677
N° D'IMPRIMEUR : 020087

Dépôt légal : avril 2002